En français s'il vous plaît   A

A vos places!

Jane Love
Suzanne Majhanovich
Lynda Robinson

Copp Clark Pitman Ltd.
Toronto

ISBN 0-7730-1664-3

Edited by Mary E. Coffman
Design/Zena Denchik
Illustration/Tina Holdcroft
Cover art/**creative associates**
visual and editorial communications ltd.
Carola Tietz

Copp Clark Pitman Ltd.
495 Wellington Street West
Toronto, Ontario   M5V 1E9

Printed and bound in Canada

ACKNOWLEDGEMENTS

The publishers wish to thank the following persons who acted as consultants or reviewers of this text.

D. Anthony Massey
Professor
Faculty of Education
Queen's University
Kingston, Ontario

Edmond V. Levasseur
Consultant
French as a Second Language
Edmonton Catholic School Board, 1978-79
Edmonton, Alberta

Marie-Antoinette Monette
French Coordinator
The Essex County Roman Catholic School Board
Essex, Ontario

Agnes Zahara
Coordinator of French
Dufferin Peel Separate School Board
Mississauga, Ontario

The publishers wish to thank the following persons and agencies for permission to reproduce the photographs used in this text.

Finnish Tourist Board (108)
Gail Kenney (110)
Gale Research Institute (49)
The Globe and Mail, Toronto (105)
Hudson's Bay Co. (44)
Metropolitan Toronto Library Board (45, 48)
Miller Services (122-123, 126, 131, 132, 138-139, 141, 142)
Miller Services/Bert Hoferichter (98)
Miller Services/Camera Press London (156, 168)
Montreal Star — Canada Wide (11, 22, 38, 64, 78, 80)
National Film Board/Photothèque (96)

TABLE DES MATIÈRES

UNITÉ 1

◎ OBJECTIVES

How would you like to be able to:
- give your opinion as to what is good and bad in books, films, food, TV shows, etc.;
- talk about some ways you spend your spare time;
- recognize new French words by observing their similarities with English words;
- describe some personality traits of you, your friends and relatives?

Fantastique!

VOCABULAIRE

1. Il **pense**.

2. Madame Smith **trouve** son **argent** sous la chaise.

3. La **note** de Suzanne est une **bonne** note.
La **note** de Marie est une **mauvaise** note.

4. Marie-Josée **étudie**.
Elle **prépare** un **examen** de géographie.
Il y a des livres **partout** dans sa chambre.

5. Gérard **joue de l'orgue**.
Il **adore** Bach.

1

6. Julie regarde une **émission** de télé.
Elle **écoute** un groupe qui chante.
Son père **déteste** les **chanteurs** pop.
Il pense: « Quel **bruit!** »

Quel bruit!

7. Luc **dépense** dix dollars pour **acheter** un **disque**.

MUSIQUE CLASSIQUE

MoZART

8. Paul **rentre** à la maison.
Il est **fatigué**.

9. Mlle Tremblay **travaille** toute la **journée** dans un hôpital.

10. Le soir, Mlle Tremblay joue de la **batterie** dans un groupe.

2

Exercices

A. Répondez aux questions suivantes.

1. Qu'est-ce que l'homme fait?
2. Qu'est-ce que Madame Smith cherche?
   Où est-ce qu'elle trouve son argent?
3. Quelle note est bonne?
   Quelle note est mauvaise?
4. Qu'est-ce que Marie-Josée fait?
   Où sont ses livres?
   Pourquoi est-ce qu'elle n'est pas contente?
5. De quel instrument de musique est-ce que Gérard joue?
   Qui est son idole?
6. Qu'est-ce que Julie fait?
   Pourquoi est-ce que le père de Julie n'est pas content?
7. Qu'est-ce que Luc fait?
   Combien d'argent est-ce qu'il dépense?
   Quel genre de musique est-ce que Luc adore?
8. Quelle heure pensez-vous qu'il est?
   Qu'est-ce que Paul fait?
   Pourquoi est-ce que Paul n'est pas content?
9. Où est-ce que Mlle Tremblay travaille?
   Est-ce qu'elle travaille le soir à l'hôpital?
   Combien d'heures est-ce qu'elle travaille?
10. Qu'est-ce que Mlle Tremblay fait le soir?

B. Qu'est-ce que c'est? Trouvez les réponses dans le nouveau vocabulaire.

1. une personne qui chante
2. ce que vous dépensez pour acheter quelque chose
3. un grand test
4. un instrument de musique que vous battez
5. un objet circulaire que vous écoutez

C. Choisissez le verbe qui convient pour compléter chaque phrase.

chante/travaille/étudie/joue/achète/dépense/
adore/écoute/rentre/prépare

1. Je _____ quand je suis content.
2. J' _____ la géographie.
3. Je _____ le samedi dans un magasin.
4. Je _____ tout mon argent.
5. J' _____ souvent la radio.
6. Je _____ à six heures le soir.
7. J' _____ mes vêtements chez Simpson.
8. Je _____ du piano.
9. J' _____ la musique pop.
10. Je _____ un examen.

D. Donne-nous ton opinion.

Exemples
une bonne note
90/100 est une bonne note.

une mauvaise note
20/100 est une mauvaise note.

1. un bon livre   un mauvais livre
2. un bon sandwich   un mauvais sandwich
3. un bon film   un mauvais film
4. un bon disque   un mauvais disque
5. une bonne actrice   une mauvaise actrice
6. une bonne émission   une mauvaise émission
   de télé   de télé
7. une bonne auto   une mauvaise auto
8. un bon chanteur   un mauvais chanteur
9. un bon restaurant   un mauvais restaurant
10. une bonne chanson   une mauvaise chanson

3

STRUCTURES

L'article indéfini

1. C'est **un** disque.   2. Ce sont **des** disques.

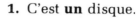

3. C'est **une** radio.   4. Ce sont **des** radios.

> ### Observation grammaticale
>
> #### singulier
>
> **masculin**
>
> C'est **un** acteur.
>
> C'est **un** disque.
>
> **féminin**
>
> C'est **une** actrice.
>
> C'est **une** radio.
>
> #### pluriel
>
> Ce sont **des** acteurs et **des** actrices.
>
> Ce sont **des** disques et **des** radios.
>
> In French all nouns are either masculine or feminine.
>
> How do we tell a masculine noun from a feminine noun?
>
> What happens when a noun becomes plural?

Exercices

A. Mettez les phrases suivantes au pluriel.

Exemple
C'est un disque.
Ce sont des disques.

1. C'est une actrice.
2. C'est un chien.
3. C'est un examen.
4. C'est un musicien.
5. C'est un soulier.
6. C'est un chanteur.
7. C'est une chanson.
8. C'est un stylo.

B. Mettez les mots en caractères gras au singulier.

Exemple
Elle désire **des amis**. (m)
Elle désire **un ami**.

1. Il dépense **des dollars**. (m)
2. Elle regarde **des photos**. (f)
3. Il trouve **des livres**. (m)
4. Il achète **des chemises**. (f)
5. Elle écoute **des cassettes**. (f)
6. Il prépare **des exercices**. (m)
7. Elle regarde **des autos**. (f)
8. Il mange dans **des restaurants**. (m)

C. Complétez les phrases à l'aide des mots suivants: employez l'article **un** ou **une**.

masculin	féminin
éléphant	pomme
serpent	carotte
chien	orange
accordéon	blouse
	sœur

Exemple
_____ est un légume orange.
Une carotte est un légume orange.

1. _____ est un reptile.
2. _____ est un grand animal.
3. _____ est un fruit orange.
4. _____ est un instrument de musique.
5. _____ est un vêtement.
6. _____ est un animal domestique.
7. _____ est un fruit rouge.
8. _____ est un membre de la famille.

D. Qu'est-ce que tu achètes? Emploie les articles **un, une** ou **des**. Voici quelques suggestions.

masculin	féminin
coke	motocyclette
livre de poche	auto
bâton de hockey	carte
journal	bicyclette
vêtements	fleurs pour ma grand-mère

Exemple
Voici $12.
Merci beaucoup. J'achète un bâton de hockey.

1. Voici $2000.
2. Voici $40.
3. Voici 30¢.
4. Voici $8000.
5. Voici $3.
6. Voici 15¢.
7. Voici $150.
8. Voici $10.
9. Voici 40¢.

Le présent des verbes en **-er**

1. Je **danse.**

2. Tu **danses?**

3. Elle **danse!**

5. Nous **dansons.**

6. Vous **dansez?**

7. Elles **dansent.**

4. Il **danse** bien.

8. Ils **dansent.**

 Observation grammaticale

<table>
<tr><td colspan="2" align="center">les verbes en -er</td></tr>
<tr><td>je danse</td><td>nous dansons</td></tr>
<tr><td>tu danses</td><td>vous dansez</td></tr>
<tr><td>il danse</td><td>ils dansent</td></tr>
<tr><td>elle danse</td><td>elles dansent</td></tr>
</table>

There are many words in French which behave the same way as **danser.**

They are known as **-er** verbs because their infinitive ends in **-er**. Some of them are:

chanter, chercher, crier, dessiner, jouer, manger, montrer, parler, penser, pleurer, porter, regarder, rentrer, travailler.

Exercices

A. Faites des phrases en employant le verbe qui est donné.

Exemple
Je danse beaucoup. (parler)
Je parle beaucoup.

1. Nous dansons dans la cuisine. (travailler)
2. Mon frère danse beaucoup. (pleurer)
3. Tu danses bien. (dessiner)
4. Mon père danse à six heures du matin. (rentrer)
5. Mon ami danse toujours. (manger)
6. Les acteurs dansent bien dans ce film. (chanter)
7. Attention! Vous dansez trop vite! (marcher)

7

B. Composez des phrases.

Exemple
Je/travailler/beaucoup.
Je travaille beaucoup.

1. Nous/chanter/des chansons/françaises.
2. Les enfants/jouer/dans/le parc.
3. Vous/trouver/de l'argent/dans/la rue.
4. Le bébé/regarder/toujours/son père.
5. Ils/détester/les bananes.
6. Je/parler/anglais/à/la maison.
7. Ma mère/travailler/toute/la journée.

 En garde!

J'écoute la radio.   Nous écoutons la radio.

Tu écoutes la radio.   Vous écoutez la radio.

Il écoute la radio.   Ils écoutent la radio.

Elle écoute la radio. Elles écoutent la radio.

How many changes do you notice
that occur when a verb begins with a vowel?

C. Prononcez bien!

1. Elles adorent les chiens.
2. Nous étudions le français.
3. Vous achetez une motocyclette.
4. J'écoute toujours le professeur.
5. Il adore sa grand-mère.
6. Ils écoutent des disques.
7. Il invite des amis.

D. Réponds à ces questions personnelles.

1. Est-ce que tu chantes bien?
2. Est-ce que tu chantes dans un groupe?
3. Avec qui est-ce que tu danses?
4. Où est-ce que tu danses?
5. Est-ce que tes parents dansent?
6. Quand est-ce que tu regardes la télé?
7. Quand est-ce que tu écoutes tes disques?
8. Où est-ce que tu écoutes tes disques?

 **En garde!**

J'**achète** des disques.   Nous achetons un sandwich.

Tu **achètes** une moto?   Vous achetez des bonbons?

Marie **achète** un livre.   Ils **achètent** un chien.

Henri **achète** des pommes. Elles **achètent** un chat.

Which forms of the present tense of the verb
acheter do not have an **accent grave (`)**?

8

E. Complétez les phrases suivantes en choisissant le verbe qui convient.

Exemple
travailler/acheter   Vous _____ des disques.
Vous **achetez** des disques.

1. étudier/acheter   Claire _____ la géographie.
2. travailler/pleurer   Le bébé _____ beaucoup.
3. chanter/écouter   Nous _____ des disques.
4. jouer/chanter   Ils _____ de la batterie.
5. manger/crier   Vous _____ un sandwich.
6. penser/dépenser   Je _____ tout mon argent.
7. trouver/manger   Tu _____ la balle.
8. acheter/rentrer   Nous _____ à la maison.

F. Complétez les phrases suivantes en employant un des verbes suivants. Il y a souvent plusieurs réponses possibles!

crier/acheter/jouer/trouver/regarder/écouter/dépenser

Exemple
Les élèves _____ le professeur.
Les élèves **écoutent** le professeur.

1. Zut! Je _____ tout mon argent pour acheter des livres.
2. Qu'est-ce que tu _____ pour ta mère chez Eaton?
3. Nous _____ une bonne émission à la radio.
4. De quel instrument de musique est-ce que ton frère _____?
5. Vous _____ beaucoup de disques de ce chanteur.
6. Mes parents _____: « Silence! Quel bruit infernal! »

7. Les chiens _____ dans le parc.
8. J' _____ beaucoup de cassettes.
9. Quand est-ce que vous _____ la télé?
10. Est-ce que tu _____ cet exercice difficile?

G. Vous n'êtes pas d'accord. Mettez les phrases suivantes à la forme négative. Suivez les exemples.

Exemple 1
Je danse très bien.
Je **ne** danse **pas** très bien.

1. Nous jouons de la batterie.
2. Tu dépenses tout ton argent.
3. Vous travaillez beaucoup.
4. Mon père chante bien.
5. Le bébé pleure maintenant.
6. Ma grand-mère regarde les émissions de danse à la télé.

Exemple 2
Vous écoutez bien en classe.
Vous **n'écoutez pas** bien en classe.

1. Nous achetons beaucoup de cigarettes.
2. Tu étudies la géographie.
3. Ma sœur écoute ses disques.
4. Vous achetez deux autos.
5. Les professeurs écoutent les élèves.

PROVERBE

Tout nouveau, tout beau.

9

L'article défini

1. Voilà **la** maison.

2. Voilà **le** garage.

3. Voilà **l'**auto et **l'**avion.

4. Voilà **les** maisons et **les** garages.

5. Voilà **les** autos et **les** avions.

Observation grammaticale

singulier

masculin   **féminin**

Voilà **le** garage.   Voilà **la** maison.

Voilà **l'**avion.   Voilà **l'**auto.

pluriel

Voilà **les** garages et **les** maisons.

Voilà **les** avions et **les** autos.

What determines whether you use **le, la, l'**
or **les**?
Which forms are the same for both masculine
and feminine nouns?

Exercices

A. Répondez aux questions suivantes.

Exemple
Il y a un restaurant ici?
Oui, voilà le restaurant.

1. Il y a un professeur ici?
2. Il y a une porte ici?
3. Il y a un tableau noir ici?
4. Il y a un livre de français ici?
5. Il y a une fenêtre ici?
6. Il y a un stylo ici?
7. Il y a des pupitres ici?
8. Il y a des filles ici?
9. Il y a des souliers blancs ici?
10. Il y a des blue-jeans ici?
11. Il y a une auto ici?
12. Il y a un autobus ici?
13. Il y a un avion ici?
14. Il y a un homme ici?

B. Mettez les phrases suivantes au singulier.

Exemple
Les filles dansent avec les garçons.
La fille danse avec le garçon.

1. Les bébés mangent
   les bananes.
2. Les musiciens jouent
   devant les maisons.
3. Les amis de Jean écoutent
   les disques.
4. Les enfants adorent
   les fêtes.
5. Les professeurs regardent
   les livres.
6. Les chiens jouent avec
   les balles.
7. Les élèves étudient
   les livres.

ami (m)
balle (f)
banane (f)
bébé (m)
chien (m)
disque (m)
élève (m)
enfant (m)
fête (f)
fille (f)
garçon (m)
livre (m)
maison (f)
musicien (m)
professeur (m)

Une discothèque à Montréal

11

de + l'article défini

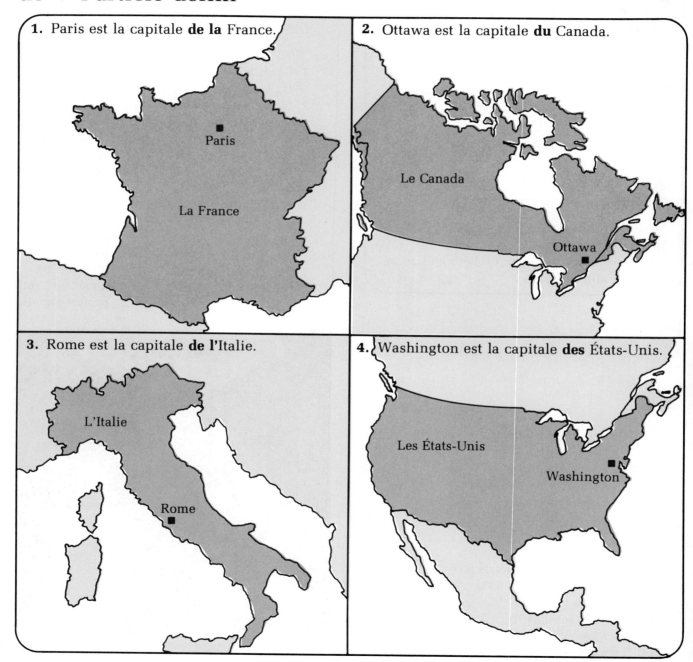

1. Paris est la capitale **de la** France.

Paris

La France

2. Ottawa est la capitale **du** Canada.

Le Canada

Ottawa

3. Rome est la capitale **de l'**Italie.

L'Italie

Rome

4. Washington est la capitale **des** États-Unis.

Les États-Unis

Washington

12

Observation grammaticale

de + les = **des**   de + la = **de la**

de + le = **du**   de + l' = **de l'**

Exercices

A. Voici quelques villes et quelques pays. Quelle est la capitale de chaque pays?

Exemple
Ottawa est la capitale du Canada.

1. Ottawa   a) le Japon
2. Tokyo   b) la Chine
3. Pékin   c) l'Italie
4. Rome   d) les États-Unis
5. Lisbonne   e) le Canada
6. Paris   f) le Portugal
7. Washington   g) le Danemark
8. Copenhague   h) le Mexique
9. Mexico   i) l'Espagne
10. Madrid   j) la France

B. Quelle photo préférez-vous?

Exemple
le garçon
Je préfère la photo du garçon.

1. la fille   6. le chien
2. l'enfant   7. le bébé
3. le musicien   8. les parents
4. les femmes   9. les élèves
5. les chanteurs   10. l'homme

C. Posez des questions en suivant l'exemple et puis répondez aux questions.
Voici quelques musiciens célèbres.

Pablo Cassals
Liberace
Louis Armstrong
Liona Boyd
Lawrence Welk
?

Voici quelques instruments de musique:

le piano
le violoncelle
l'accordéon
l'orgue
la batterie
le trombone
le violon
la clarinette
la flûte
?

Exemple
Elève 1: De quel instrument est-ce que Liberace joue?
Elève 2: Liberace joue du piano.

13

Le présent du verbe **être**

être — *to be*

Je **suis** sincère.

Tu **es** modeste.

Il **est** magnifique.

Elle **est** fantastique.

Nous **sommes** intelligents.

Vous **êtes** comique(s).

Ils **sont** amusants.

Elles **sont** sympathiques.

Exercices

A. Complétez les phrases suivantes.
Employez le verbe **être.**

Exemple

Je _____ canadien.

Je **suis** canadien.

1. Mon amie Catherine _____ de Winnipeg.
2. Nous _____ membres d'un club de tennis.
3. De quelle nationalité est-ce que tu _____.
4. Sa sœur _____ blonde.
5. Vous _____ américains?
6. Les professeurs _____ magnifiques.

B. Mettez les phrases de l'exercice A à la forme négative.

Exemple

Je **ne** suis **pas** canadien.

14

Les adjectifs réguliers

1. Alice est **grande**. Le biscuit est **petit**.

2. Alice est **petite**.
   Le biscuit est **grand**.

3. Les fleurs sont **grandes**.
   Les soldats sont **petits**.

4. Les soldats sont **grands**.
   Les fleurs sont **petites**.

15

Observation grammaticale

singulier

masculin **féminin**

Il est grand. Elle est grand**e**.

pluriel

Ils sont grand**s**. Elles sont grand**es**.

How many different forms are there for each regular adjective?

Why do the forms change?

Exercices

A. Choisissez le bon adjectif.

Exemple
intéressant/intéressante   La musique est
_____ .
La musique est **intéressante**.

1. important/importante   L'examen est
_____ .
2. vert/verte   La grenouille est _____ .
3. intelligent/intelligente   Le professeur est
_____ .
4. blond/blonde   Le chanteur est _____ .
5. grand/grande   La boutique est _____ .
6. petit/petite   Le groupe de jazz est
_____ .
7. rond/ronde   Le disque est _____ .
8. content/contente   La tante de Philippe est
_____ .

B. Mettez les phrases de l'exercice A au pluriel.

Exemple
1. Les examens sont importants.

 En garde!

singulier

masculin **féminin**

Mon père est mince.   Ma mère est mince.

pluriel

Mes parents sont mince**s**.

How many different forms are there for an adjective that ends in an **e** in the masculine form?

C. Remplacez les mots en caractères gras par les mots entre parenthèses.

Exemple
Voilà **une dame** *qui est mince.   (un homme)*
Voilà **un homme** *qui est mince.*

1. Voilà **un enfant** qui est jeune.   (une femme)
2. Voilà **une mère** qui est calme.   (un père)
3. Voilà **un acteur** qui est modeste.   (une actrice)
4. Voilà **une photo** qui est artistique.   (un film)
5. Voilà **un livre** qui est bizarre.   (une histoire)
6. Voilà **une boutique** qui est magnifique.   (un restaurant)

D. Faites des phrases en suivant l'exemple.

Exemple
Joséphine est élégante. Et Napoléon?
Napoléon est élégant aussi.

1. La femme est charmante. Et l'homme?
2. Le professeur est magnifique. Et l'élève?
3. La chatte est petite. Et le chien?
4. Le garage est grand. Et la maison?
5. La guitare est brune. Et le piano?
6. Le père est jeune. Et la mère?
7. L'actrice est comique. Et l'acteur?
8. Le bébé est intelligent. Et la jeune fille?
9. La banane est jaune. Et le crayon?
10. Le frère est blond. Et la sœur?

E. Mettez les phrases de l'exercice D au pluriel.

Exemple
1. Les femmes sont charmantes. Et les hommes?
   Les hommes sont charmants aussi.

F. Décris (*Describe*) les membres de ta famille. Fais une phrase à la forme affirmative et une autre à la forme négative. Voici quelques adjectifs:

grand/petit/intelligent/blond/amusant/strict/
mince/jeune/magnifique/timide/énergique

Exemple
ta mère
Ma mère est intelligente.
Elle n'est pas blonde.

1. ta mère
2. ton père
3. ta sœur
4. ton frère
5. ta grand-mère
6. ton grand-père
7. ton chien
8. ton chat
9. ?

G. Donne la question et la réponse.

Exemple
Demande à une élève si elle est grande.
Question: Est-ce que tu es grande?
Réponse: Oui, je suis grande. /ou
              Non, je ne suis pas grande.

1. Demande à un élève s'il est intelligent.
2. Demande à des amies si elles sont timides.
3. Demande à une élève si elle est blonde.
4. Demande à un élève s'il est fatigué.
5. Demande à deux élèves s'ils sont amusants.
6. Demande à trois amis s'ils sont riches.
7. Demande à une élève si elle est sportive.
8. Demande à un élève s'il est sportif.

Towns and cities often have interesting stories behind how they got their name. The city of **Trois-Pistoles** in the province of Quebec supposedly got its name from an event that took place in 1621. Two sailors stopped for a drink of fresh water at the river, **la rivière du Loup**. As one of them bent over to drink, he dropped his silver goblet into the water. His friend is reported to have said "There's 3 pistoles lost!" In those days the goblet was worth **3 pistoles** or 3 *gold coins*.

17

📖 POUR BIEN LIRE

You can guess the meaning of many French words because they are similar to English. Close your dictionaries and see how well you can understand and respond to the following situation.

A. Qui est votre partenaire idéal?
Vous cherchez un(e) ami(e). Voilà trois personnes différentes. Qui est votre partenaire idéal — Personne A, Personne B ou Personne C? Pourquoi?

Monsieur/Mademoiselle A
- est professeur.
- adore la musique classique, le piano et le golf.
- déteste le camping, les appartements et le chocolat.
- a une bicyclette et un chat.
- collectionne les cartes postales.
- va souvent au théâtre et à l'opéra.
- chante bien mais a des difficultés avec l'harmonie.
- est intellectuel(le), timide et élégant(e).
- aime la tranquillité et la solitude.

Monsieur/Mademoiselle B
- est chauffeur de taxi.
- adore la musique pop, la guitare et le ski.
- déteste les dentistes, le ballet et les mathématiques.
- a une motocyclette et un serpent.
- collectionne les numéros de téléphone.
- va souvent aux concerts et à la discothèque.
- danse bien mais cause toujours les disputes.
- est amusant(e), impatient(e) et énergique.
- aime l'activité et la compagnie de ses amis.

Monsieur/Mademoiselle C
- est journaliste.
- adore le jazz, la trompette et le baseball.
- trouve la télévision, les cigarettes et la politique insupportables.
- a une auto et un perroquet.
- collectionne les insectes.
- va souvent aux matchs de hockey et au restaurant.
- mange bien mais a toujours des problèmes de digestion.
- est intelligent(e), sincère et tolérant(e).
- aime son indépendance et les rendez-vous intimes.

B. Faites une liste des mots français dans le passage qui ressemblent aux mots anglais.

Exemples
problèmes — *problems*
activité — *activity*

18

 LECTURE

Ma chère Anne

«Ma fille est folle» — une lettre d'un père fâché

1   Ma chère Anne,
J'ai des difficultés avec ma fille
Francine. Elle est *folle d'*un
groupe pop qui s'appelle Les
5   Dynamos. Il y a quatre musiciens
dans le groupe. Gaston chante,
Maurice joue de la guitare,
Jean-Luc joue du piano et de
l'orgue et Yves joue de la bat-
10 terie. Mais c'est surtout Gaston,
le chanteur, qui est l'idole de ma
fille.

Il y a des photos de Gaston
partout dans la maison. Francine
15 dépense tout son argent de
poche pour acheter les disques
du groupe et elle écoute sans
cesse cette musique infernale.
En même temps, elle pleure, elle
20 danse, elle crie comme une petite folle. Cette réaction est
ridicule!

Sa manie de la musique
cause toujours des disputes dans
25 la famille. Sa mère et moi, nous
travaillons toute la journée. Le
soir, quand nous rentrons à la
maison, nous sommes très
fatigués. Nous désirons la

30 tranquillité et à la place nous
trouvons un bruit insupportable.

Francine est une fille intelligente mais elle n'étudie pas.
Ses notes sont mauvaises. Elle
35 échoue à ses examens à cause de
ce vaurien et de sa musique.

A mon avis, je suis un père
tolérant mais franchement j'en ai
assez. D'habitude, j'adore la
40 musique mais je déteste les
chansons de ce groupe. Francine
pense que je suis vieux jeu et
trop strict mais je ne suis pas
d'accord. Et vous, est-ce que
45 vous êtes d'accord?

J. P. Desrochers
un père fâché

folle d' crazy about

à la place instead

échoue à fails

ce vaurien this good for nothing

A mon avis In my opinion

franchement frankly

D'habitude Usually

vieux jeu old fashioned

je ne suis pas d'accord I don't agree

Compréhension

Répondez aux questions suivantes.

1. Combien de musiciens est-ce qu'il y a dans le groupe Les Dynamos?
2. De quels instruments de musique est-ce qu'ils jouent?
3. Comment est-ce que Francine dépense son argent de poche?
4. Qu'est-ce que Francine fait pour montrer qu'elle aime beaucoup Gaston et sa musique?
5. Quels problèmes est-ce que cette manie de la musique cause pour Francine à l'école?
6. Pourquoi est-ce que Monsieur Desrochers ne désire pas écouter de la musique le soir?
7. Qu'est-ce que Francine pense de l'attitude de son père?

Le fouinard

Réponds aux questions suivantes.

1. A ton avis, quel âge a Francine?
2. Est-ce que tu es d'accord avec Francine ou avec son père? Pourquoi?
3. Quel est ton groupe préféré? Combien de musiciens est-ce qu'il y a dans le groupe et de quels instruments de musique est-ce qu'ils jouent?
4. Est-ce que tu joues d'un instrument de musique?
5. Est-ce que tu écoutes souvent des disques? De qui?
6. D'habitude, est-ce que tu es d'accord avec les idées de tes parents?

A ton avis

Choisis une réponse pour compléter les phrases suivantes.

1. Quand j'étudie,
   a) j'écoute toujours la radio ou la télévision.
   b) j'aime le silence et la tranquillité.
   c) il y a toujours un bruit insupportable à la maison.
   d) ?

2. Après les classes quand je rentre à la maison,
   a) j'écoute les disques.
   b) je regarde la télévision.
   c) j'étudie.
   d) ?

3. La musique pop est
   a) un genre de musique que j'adore.
   b) un genre de musique que je déteste.
   c) toujours la cause de disputes à la maison.
   d) ?

4. Je dépense mon argent de poche pour acheter
   a) des revues et des livres.
   b) des disques.
   c) des cadeaux pour mes amis et ma famille.
   d) ?

5. Partout dans ma chambre il y a
   a) des vêtements.
   b) des cahiers et des livres.
   c) des photos.
   d) ?

6. Je pleure quand
   a) mes notes sont mauvaises.
   b) je suis fatigué(e).
   c) j'ai des difficultés avec mes amis et ma famille.
   d) ?

7. Je suis fâché(e) quand
   a) les examens sont trop difficiles.
   b) je ne peux pas sortir le soir.
   c) je travaille le samedi soir.
   d) ?

A faire et à discuter

1. Imaginez que vous êtes Anne et que vous avez à répondre à la lettre de Monsieur Desrochers.

2. Sujets de discussion:
   Les bonnes notes à l'école sont très importantes.
   Le père est maître (boss) de la famille.
   Les filles dépensent plus d'argent que les garçons.
   Les parents d'aujourd'hui sont trop stricts.

▦ POT-POURRI

A. Composition orale

Une élève typique???

B. Voici une réponse. Quelle est la question?
Employez **Est-ce que, Qu'est-ce que, Qui est-ce que, Où est-ce que, Quand est-ce que.**

Exemple
Elle désire une belle pomme rouge.
Qu'est-ce qu'elle désire?

1. Je danse dans le salon.
2. Nous trouvons dix dollars.
3. Le père des enfants est très fatigué.
4. Oui, nous sommes riches et intelligents.
5. Ma grand-mère déteste le bruit.
6. Il achète des souliers et un stylo chez Eaton.
7. Frédéric rentre à la maison à sept heures du soir.
8. J'adore les chanteurs français.
9. Non, nous ne jouons pas de l'orgue.
10. Elles écoutent des disques dans la chambre de Nadine.

C. Voici quelques adjectifs dénotant des qualités et des défauts.

masculin	féminin
amusant	amusante
énergique	énergique
généreux	généreuse
honnête	honnête
impatient	impatiente
indépendant	indépendante
intelligent	intelligente
intéressant	intéressante
juste	juste
modeste	modeste
patient	patiente
sincère	sincère
sportif	sportive
studieux	studieuse
superstitieux	superstitieuse

1. Quelles sont tes qualités et tes défauts?
2. Quelles sont les qualités a) d'un bon père?
   b) d'un(e) bon(ne) élève?   c) d'un bon
   professeur?   d) d'un(e) bon(ne) ami(e)?

ENRICHISSEMENT

A. Dialogue
Jacqueline entre dans un magasin de disques. Elle désire acheter un cadeau d'anniversaire. Le vendeur arrive.

Le vendeur: Bonjour, mademoiselle. Est-ce que je peux vous aider?

Jacqueline: Oui, monsieur. Je cherche un bon disque pour mon ami. C'est son anniversaire.

Le vendeur: Qu'est-ce qu'il aime? La musique classique ou moderne?

Jacqueline: Je pense qu'il aime les chanteurs à la mode.

Le vendeur: Ah! Voilà un disque des Dynamos avec une belle photo du groupe.

Jacqueline: Combien est-ce?

Le vendeur: Neuf dollars.

Jacqueline: Je vais l'acheter. Voilà.

Le vendeur: Merci, mademoiselle. Votre ami va être content. C'est un beau cadeau.

Un magasin de disques

22

B. Le Canada

Donnez la capitale de chacune des provinces suivantes.

Exemple
Winnipeg est la capitale du Manitoba.

Provinces		Villes	
La Colombie Britannique	Le Nouveau-Brunswick	Saint-Jean	Whitehorse
L'Alberta	La Nouvelle-Ecosse	Halifax	Régina
La Saskatchewan	L'Ile du Prince-Edouard	Toronto	Québec
Le Manitoba	Terre-Neuve	Victoria	Winnipeg
L'Ontario	Le Yukon	Edmonton	Frédéricton
Le Québec	Les Territoires du Nord-Ouest	Yellowknife	Charlottetown

Le Yukon
Whitehorse

Les Territoires du Nord-Ouest
Yellowknife

La Colombie Britannique

L'Alberta

Le Manitoba

Edmonton
La Saskatchewan

Victoria

Régina

Winnipeg

L'Ontario

Le Québec

Terre-Neuve

Saint-Jean

Charlottetown
L'Ile du Prince-Edouard

Québec

Frédéricton

Halifax
La Nouvelle-Ecosse

Le Nouveau-Brunswick

Toronto

23

VOCABULAIRE ACTIF

Noms (masculin)

l'argent	l'examen	l'orgue
le bruit	le groupe	le piano
le chanteur	le musicien	le soir
le disque		

Noms (féminin)

la batterie	la guitare	la musique
l'émission	la journée	la note

Verbes

acheter	détester	préparer
adorer	écouter	rentrer
chanter	étudier	travailler
dépenser	jouer	trouver
désirer	penser	

Adjectifs

bon, bonne	fatigué, -e	mauvais, -e

Adverbes

partout

Expressions

jouer de + un instrument de musique

UNITÉ 2

◎ OBJECTIVES

How would you like to be able to:
- follow and give simple directions;
- talk about going places using different means of transportation;
- recognize new French words by observing their similarities with French words you already know;
- discuss some of the values and life styles of people today in contrast with those of the early inhabitants of New France?

Sensass!

25

📞 VOCABULAIRE

1. Que c'est beau!
Voilà un **lac** dans une **vallée**.
A l'**autre bout** du **lac** il y a une **forêt** et des **montagnes**.

2. Voilà, le **roi** des **bêtes** et sa **reine**.

3. En géographie, on étudie
les **pays** du **monde**.
On étudie aussi la population
et le **climat**.

Le climat au Canada

LA TERRE ET NOUS

La France

26

4. C'est le 20 décembre.
Demain, c'est le 21 décembre,
le **premier** jour de l'**hiver**.

5. Il sauve la **vie** de l'**enfant** au **dernier** instant.

6. L'**homme** est très **fort.**
Quel homme?
L'homme qui a des **épaules énormes** et une **barbe** noire.

7. Georges **épouse** Lise.

Après le **mariage.**
– **Ensemble** enfin!
– Ah mon **mari!**
Je vais **rester toujours** avec toi.

8. Elle est très intelligente. Elle **a seulement** 14 **ans** et elle va **déjà** à l'université.

9. Il **a de la chance.** Il **gagne** de l'argent.

Et le numéro gagnant est 635 792

635 792

10. Je ne peux pas manger. La fourchette est **sale.** Que c'est **dégoûtant!**

Exercices

A. Répondez aux questions suivantes.

1. Où est le lac?
   Qu'est-ce qu'il y a à l'autre bout du lac?
2. Qui est à côté de la reine?
   Qui est le roi des bêtes?
3. Qu'est-ce qu'on étudie en géographie?
   Nommez 3 pays du monde.
4. Quelle saison commence le 21 décembre?
   Quel est le mot pour le jour après
   aujourd'hui?
   Quel est le premier jour de l'hiver?
5. Qu'est-ce que le chien fait?
   Quand est-ce qu'il sauve la vie de l'enfant?
6. Qui est très fort?
   Décris l'homme.
7. Qu'est-ce que l'homme dit?
   Qu'est-ce que la femme dit?
   Est-ce qu'elle parle à son enfant?
8. Quel âge a la fille?
   Où est-ce qu'elle va déjà?
9. Est-ce que l'homme a de la chance?
   Pourquoi?
10. Pourquoi est-ce que la femme ne peut pas
    manger la salade?
    Qu'est ce que la femme dit?

PROVERBE
C'est la vie!

B. Complétez les phrases. Trouvez les réponses dans le nouveau vocabulaire.

1. Une saison très froide est l'_____ .
2. Le Père Noël a une _____ blanche.
3. Il y a beaucoup d'arbres dans une
   _____ .
4. Le Canada, la France et l'Italie sont des
   _____ .
5. Le lion, le chien et le chat sont des
   _____ .
6. Elisabeth II est le nom d'une _____ .
7. Louis XIV est le nom d'un _____ .
8. L'Atlantique est un océan; Le Supérieur, Le
   Huron et L'Erié sont des _____ .
9. Un homme marié (qui a une femme) est un
   _____ .
10. Le contraire de *jamais* est _____ .
11. Le père porte son enfant sur ses _____ .
12. Une souris est très petite; un éléphant est
    _____ .

C. Complétez les phrases avec les mots suivants.
autre/dégoûtant/demain/dernier/ensemble/
premier/seulement

1. Marie est toujours avec son amie Josie. Elles
   sont toujours _____ .
2. Luc est malade. Il mange _____ de la
   soupe au poulet.
3. Oof! Voilà un ver dans la salade! Que c'est
   _____ !
4 Voilà un disque de musique classique et un
   disque de musique pop. Je ne veux pas le
   disque de musique classique; je veux
   l'_____ disque.
5. Aujourd'hui c'est jeudi et _____ c'est
   vendredi.
6. Le 31 décembre est le _____ jour de
   l'année.
7. Le 1er janvier est le _____ jour de l'année.   29

⊞ STRUCTURES

L'impératif des verbes en -er

1. **Ne joue pas** avec ta nourriture.
   Mange tes carottes pour papa.

2. **Restez** là, monsieur!
   Ne quittez pas la salle!

3. **Allons** au cinéma.
   N'étudions pas!

 Observation grammaticale

affirmatif	**impératif affirmatif**
Tu regardes la télé.	Regard**e** la télé.
Vous regardez la télé.	Regard**ez** la télé.
Nous regardons la télé.	Regard**ons** la télé.

négatif	**impératif négatif**
Tu ne regardes pas la télé.	Ne regard**e** pas la télé.
Vous ne regardez pas la télé.	Ne regard**ez** pas la télé.
Nous ne regardons pas la télé.	Ne regard**ons** pas la télé.

How many command forms are there for a French verb?
What is always omitted in a command?
Which form of the **impératif** is not the same as the
corresponding form of the **affirmatif** for a regular **-er** verb?

30

Exercices

A. Donnez un ordre. Parlez à Paul.

Exemple
Est-ce que je peux manger dans le jardin?
Mais oui, Paul, mange dans le jardin.

1. Est-ce que je peux danser avec l'enfant?
2. Est-ce que je peux parler franchement?
3. Est-ce que je peux écouter le disque?
4. Est-ce que je peux regarder la télé?
5. Est-ce que je peux rester ici?
6. Est-ce que je peux quitter la salle?
7. Est-ce que je peux rentrer maintenant?
8. Est-ce que je peux chanter pour les élèves?

B. Donnez un ordre à partir des phrases de l'exercice A. Parlez à Mlle Grondin.

Exemple
Est-ce que je peux manger dans le jardin?
Mais oui, mademoiselle, mangez dans le jardin.

C. Donnez un ordre.

Exemples
Dites à M. Chartrand de chanter.
Chantez, M. Chartrand.

Dites à Jean de parler à Marc.
Parle à Marc, Jean.

1. Dites à M. Savard de jouer de la guitare.
2. Dites à Marie de regarder le lion.
3. Dites à Paul d'écouter la radio.
4. Dites à Mme Beaudoin d'acheter les bonbons.
5. Dites à Francine et à Lucien de quitter la salle.
6. Dites à Monique de rester là.
7. Dites à M. Duval de rentrer maintenant.
8. Dites à M. Laurent d'épouser Mlle Juneau.

D. Complétez les phrases par un verbe exprimant un ordre. Choisissez un verbe de la liste suivante.
acheter/danser/entrer/étudier/quitter/regarder/rester

Exemple
La musique est excellente. ⟶ **Dansons!**
Tu es fatiguée, Julie. _____ l'école à trois heures. ⟶ **Quitte** l'école à trois heures.

1. Mais vous êtes riche; _____ un nouveau stéréo.
2. Tu es malade, Richard. _____ à la maison aujourd'hui.
3. Demain il y a un examen. _____ bien, mes élèves.
4. Tu parles trop dans la classe, Jacques. _____ la salle.
5. Ne restez pas devant la porte. _____ dans la maison.
6. Il est tard, mais je veux regarder un autre film. Moi aussi, _____ le film immédiatement.
7. Est-ce que tu veux danser avec moi? Bien sûr, _____ .

E. Mettez les phrases suivantes à la forme négative.
Exemple 1
Portez l'enfant sur les épaules.
Ne portez pas l'enfant sur les épaules.

1. Donne les bonbons à Michèle.
2. Fermez la porte, s'il vous plaît.
3. Regardez les photos de Mme Lanoue.
4. Chante dans la cuisine.
5. Montrons l'examen à M. Fournier.
6. Cherchez le disque à la bibliothèque.
7. Dépensons tout l'argent.

Exemple 2
Etudiez maintenant. ⟶ N'étudiez pas maintenant.

1. Arrivez à neuf heures.
2. Allons au cinéma.
3. Invite les élèves de la classe.
4. Aidez le professeur.
5. Essuyez les assiettes.
6. Achète les sandwichs au poulet à la cafétéria.   31

Le partitif

Je veux **de la** soupe, **de la** viande, **du** pain, **de la** salade, **des** fruits, **de l'**eau et **du** gâteau et **des** bonbons. **Du** café mais pas **de** sucre.

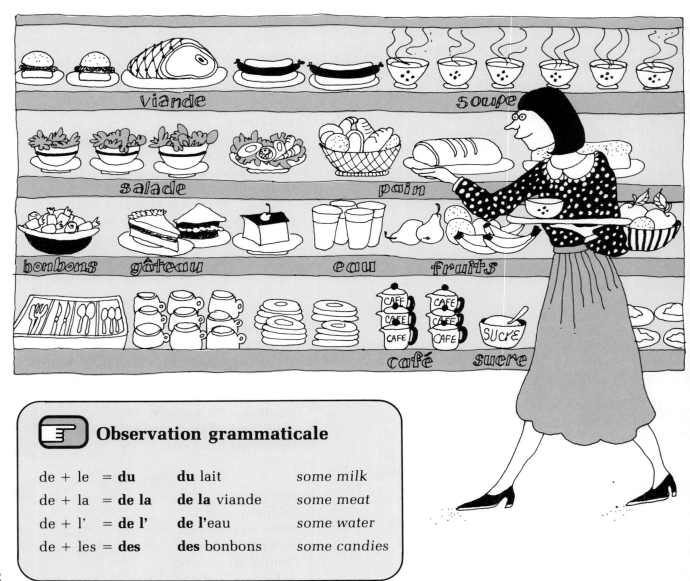

Observation grammaticale

de + le	= **du**	**du** lait	*some milk*
de + la	= **de la**	**de la** viande	*some meat*
de + l'	= **de l'**	**de l'**eau	*some water*
de + les	= **des**	**des** bonbons	*some candies*

Exercices

A. Employez **du, de la, de l'** ou **des.**

– J'ai faim! Je veux _____ nourriture. Je
prends _____ pain, _____ beurre,
_____ salade, _____ frites,
_____ poulet, _____ carottes,
_____ tarte aux pommes, _____ eau
et _____ lait, s'il vous plaît.
– Très bien, monsieur. Ça fait $8. Vous avez
_____ argent?
– Ah zut, non! Je n'en ai pas. Eh bien, je prends
_____ eau.

 En garde!

Tu as **de la soupe**?
Oui, j'**en** ai.

Tu as **du gâteau?**
Non, je n'**en** ai pas.

Vous avez **des bonbons?**
Oui, nous **en** avons.

Vous avez **des biscuits?**
Non, nous n'**en** avons pas.

B. Répondez aux questions suivantes en employant
Non, je n'en ai pas ou **Oui, j'en ai.**

Exemple
Est-ce que tu as des bonbons?
Non, je n'en ai pas. /ou
Oui, j'en ai.

1. Est-ce que tu as de l'argent?
2. Est-ce que tu as des amis?
3. Est-ce que tu as des sœurs?
4. Est-ce que tu as des frères?
5. Est-ce que tu as des livres?
6. Est-ce que tu as de la gomme à mâcher?
7. Est-ce que tu as du papier?
8. Est-ce que tu as du chocolat?

C. A toi de choisir. Emploie **du, de la, de l'** ou **des**
dans ta réponse.

Exemple
Qu'est-ce que tu bois à midi?
(le coke/le lait/l'eau/?)
Je bois du lait à midi.

1. Qu'est-ce que tu achètes quand tu as
beaucoup d'argent?
(les disques/le chocolat/les vêtements/?)
2. Qu'est-ce que tu désires comme dessert ce
soir?
(la crème glacée/le gâteau/les fruits/?)
3. Qu'est-ce que tu manges pour le petit
déjeuner?
(les toasts/les céréales/le bacon/?)
4. Qu'est-ce que tu manges quand tu es malade?
(la soupe au poulet/les biscuits digestifs/les
œufs/?)
5. Qu'est-ce que tu manges quand tu regardes la
télé?
(les croustilles (*chips*)/les biscuits granola/la
soupe/?)

33

Le présent du verbe **avoir**

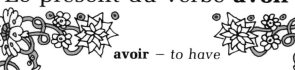

avoir – *to have*

J'**ai** un dollar. Nous **avons** deux dollars.

Tu **as** un dollar. Vous **avez** deux dollars.

Il **a** un bateau. Ils **ont** des motocyclettes.

Elle **a** une auto. Elles **ont** des chiens.

Exercices

A. Complétez les phrases suivantes. Employez le verbe **avoir.**

Exemple

Il _____ une motocyclette.

Il **a** une motocyclette.

1. Est-ce que vous _____ une motocyclette?
2. Il _____ beaucoup d'argent.
3. J'_____ seulement un disque de musique classique.
4. Elles _____ des photos de la France.
5. Est-ce que tu _____ des bonbons?
6. Nous _____ beaucoup d'amis.

B. Pose des questions. Un(e) élève répond à la question avec **oui**. . . . ou **non**. . . .

Exemple

Est-ce que tu as trois frères?

Oui, j'ai trois frères /*ou*

Non, je n'ai pas trois frères.

1. Est-ce que tu as dix ans?
2. Est-ce que ton père a 40 ans?
3. Est-ce que vous avez faim?
4. Est-ce que _____ a onze ans?
5. Est-ce que _____ a deux sœurs?
6. Est-ce que j'ai les cheveux blonds?
7. Est-ce que _____ et _____ ont les cheveux bruns?

34

 En garde!

We use **avoir** to form many expressions in French.

How many of these do you know already?

1. Elle a 4 ans.

2. Il a soif.

3. Le chien a faim.

4. Il a peur.

5. Elle a de la chance.

6. Il a raison.

7. Il a tort.

8. Elle a froid.

9. Ils ont chaud.

10. Ils ont besoin d'argent.

C. Complétez les phrases de la colonne A par une expression de la colonne B.

Exemple
Oh-là-là, voilà 5 dollars.
J'ai de la chance.

A	B
1. Oh-là-là, voilà $5.	a) J'ai raison.
2. Donne-moi du lait, s'il te plaît.	b) J'ai 12 ans.
	c) J'ai peur.
3. 5 et 7 font 10.	d) J'ai tort.
4. Ouf! Il fait 40°C.	e) J'ai de la chance.
5. Yi-i-i! C'est une souris!	f) J'ai froid.
	g) J'ai faim.
6. Ça fait $85. Payez maintenant, s'il vous plaît.	h) J'ai besoin d'argent.
	i) J'ai chaud.
	j) J'ai soif.
7. C'est mon anniversaire.	
8. 4 × 7 = 28	
9. Brrr! Il neige encore.	
10. Je veux de la nourriture.	

D. Répondez en utilisant une expression formée avec le verbe **avoir**.

Exemples
Je veux manger.
Tu as faim.

Il veut manger.
Il a faim.

1. Je veux manger.
2. Il voit un gros chien féroce.
3. Il veut porter un chapeau et deux ou trois chemises.
4. Elle veut boire de l'eau.
5. Tu gagnes de l'argent.
6. Tu dis 10 et 10 font 25.
7. Elle veut porter son costume de bain.
8. Il veut acheter des disques.

35

à + l'article défini

Nicole

Où est-ce que je vais?
- **à la** bibliothèque pour étudier?
- **à l'**hôpital pour voir mon cousin malade?
- **au** supermarché pour aider ma mère?

Le petit démon
Non! Va **aux** courses
de motocyclettes
avec ton ami Gilles.

☞ Observation grammaticale

à + le   = **au**   Elle va **au** cinéma.

à + la   = **à la**   Elle va **à la** bibliothèque.

à + l'   = **à l'**   Elle va **à l'**hôpital.

à + les = **aux**   Elle va **aux** courses.

Which forms of the **article défini** contract with
à to form an entirely new word?

36

Exercices

A. Répondez avec **aller** plus **au, à la, à l', ou aux**.

Exemple
Voilà la bibliothèque. → Je vais à la bibliothèque.

1. Voilà la cafétéria.
2. Voilà le cinéma.
3. Voilà l'école.
4. Voilà la banque.
5. Voilà l'hôtel.
6. Voilà les expositions d'art.
7. Voilà la discothèque.
8. Voilà les courses de motocyclettes.
9. Voilà l'université.
10. Voilà le garage.

B. Suivez l'exemple. Employez **au, à la, à l', ou aux**.

Exemple
L'homme veut du café.
Donnez du café à l'homme.

1. La femme veut le journal.
2. Le garçon veut de la pizza.
3. L'enfant veut du lait.
4. Le père veut du jus de pomme.
5. La sœur veut des fleurs.
6. L'ami de Pierre veut des disques.
7. Le chien veut de l'eau.
8. Les bêtes aiment la nourriture.

 En garde!

Prononcez bien!

Donnez des bonbons aux enfants.

mais

Donnez des bonbons aux filles.

C. Employez **aux** et prononcez bien.

Exemple
Les enfants aiment le lait.
Donnez du lait aux enfants.

1. Les hommes aiment l'argent.
2. Les professeurs aiment les livres.
3. Les enfants aiment l'eau.
4. Les oncles aiment les fleurs.
5. Les tantes aiment les cartes.
6. Les amis aiment les bonbons.
7. Les éléphants aiment les arachides.

D. Complétez les phrases de la colonne A par un mot de la colonne B. Employez **à la, au, à l', ou aux**.

Exemple

A	B
il mange	la cafétéria

Il mange à la cafétéria.

A	B
1. Nous crions « Bravo »	a) la bibliothèque
2. Elle achète des chèques de voyage	b) les courses de motocyclettes
3. Ils regardent la télévision ensemble	c) le cinéma
4. Elle visite les malades	d) la maison de Paula
5. Il achète de la nourriture	e) le téléphone
6. Je cherche des livres	f) la discothèque
7. Nous dansons	g) l'hôpital
8. Elle regarde le film	h) la banque
9. Nous mangeons	i) le supermarché
10. Elle parle avec Marc	j) la cafétéria

37

En garde!

Jacques **joue au** hockey et **aux** cartes.

Michel **joue du** piano et **de** l'orgue.

What difference do you notice between **jouer** before a sport or recreation and **jouer** before the name of a musical instrument?

E. Répondez avec **jouer à** ou **jouer de.** Choisissez les réponses dans la colonne de droite.

Exemples
Anne aime la musique?
Oui, et elle joue de l'accordéon.

Anne aime les sports?
Oui, et elle joue au volleyball.

1. Monique aime les sports?   le tennis
2. Serge aime la musique?   le piano
3. Paul aime les sports?   la guitare
4. Jacqueline aime la musique?   le hockey
5. Tu aimes les sports?   la batterie
6. Tu aimes la musique?   le baseball
           l'orgue
38   le football

La Maison Chevalier, Place Royale, Québec

En garde!

Vous aimez la France?
Oui, nous allons **en** France.
Paris est **en** France.

Vous aimez le Canada?
Oui, nous allons **au** Canada.
Montréal est **au** Canada.

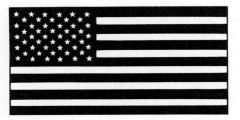

Vous aimez les Etats-Unis?
Oui, nous allons **aux** Etats-Unis.
San Francisco est **aux** Etats-Unis.

All countries are either masculine or feminine in French.

What preposition is used to express **in** or **to** before a feminine country?

What form is used before a masculine country?

What form is used before **Etats-Unis?**

F. Complétez les phrases. Employez **en** ou **au(x).**
Voici cinq pays masculins et cinq pays féminins.

masculin	féminin
le Canada	la Chine
le Danemark	l'Espagne
les Etats-Unis	la France
le Japon	l'Italie
le Mexique	Russie

Paul habite à San Francisco aux États-Unis. Il veut faire le tour du monde. Il va visiter 10 pays du monde! Voilà son plan.

- Je vais quitter San Francisco le 1er avril pour aller à Toronto _____ Canada.

- De Toronto, je vais aller _____ Espagne pour visiter la ville de Madrid.

- Je vais passer une semaine à Madrid; puis je vais aller à Rome _____ Italie.

- Je vais quitter Rome le 10 mai pour aller à Paris _____ France. Il fait beau à Paris au printemps.

- Par la suite, je veux aller _____ Danemark. Les fleurs sont magnifiques au mois de mai à Copenhague, la capitale de ce pays.

- Avant de rentrer _____ États-Unis, je veux aller _____ Russie, _____ Chine et _____ Japon.

- Et, si j'ai assez de temps, je vais passer quelques jours _____ Mexique dans la superbe ville de Mexico avant de revenir chez moi.

39

Le présent du verbe **aller**

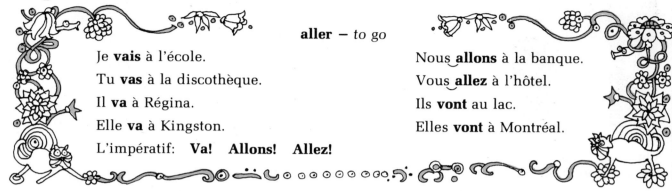

aller — *to go*

Je **vais** à l'école.

Tu **vas** à la discothèque.

Il **va** à Régina.

Elle **va** à Kingston.

L'impératif: **Va! Allons! Allez!**

Nous **allons** à la banque.

Vous **allez** à l'hôtel.

Ils **vont** au lac.

Elles **vont** à Montréal.

Exercices

A. Prononcez bien!
1. Nous allons à l'hôpital.
2. Vous allez au cinéma.
3. Nous n'allons pas à Kingston.
4. Vous n'allez pas à Montréal.

B. Complétez les phrases. Employez le verbe **aller.**

Exemple
Pierre _____ à l'école.
Pierre **va** à l'école.

1. Marcel est malade. Il _____ à l'hôpital.
2. Je _____ au cinéma demain soir.
3. Est-ce que vous _____ à la discothèque souvent?
4. Marie et Georgette _____ à Montréal.
5. Nous _____ au marché.
6. Est-ce que tu _____ chez Monique?
7. Vous avez besoin d'argent? _____ à la banque!
8. Je veux regarder un film. _____ au cinéma, Jacques!
9. Tu es malade? _____ chez le docteur Savard!
10. Vous _____ à Paris bientôt.

C. Mettez les phrases de l'exercice A à la forme négative.

Exemple
1. Marcel **n'est pas** malade. Il **ne va pas** à l'hôpital.

D. Mettez le sujet et le verbe au pluriel.

Exemple
Je vais chez Marcel.
Nous allons chez Marcel.

1. L'élève va à la cafétéria.
2. Tu vas chez le dentiste.
3. Est-ce que le garçon va à l'hôpital?
4. Elle va à la bibliothèque.
5. Je vais au Sault-Sainte-Marie.
6. Est-ce qu'elle va chez Nancy?
7. Est-ce que tu vas au cinéma?

E. Pose les questions aux autres élèves.
Réponds à ces questions personnelles.
1. Où est-ce que tu vas après les classes?
2. Où est-ce que tu vas le dimanche?
3. Où est-ce que tu vas pendant l'été?
4. Quand est-ce que tu vas chez ta grand-mère?
5. Où est-ce que tes amis vont le samedi soir?
6. A quelle école est-ce que ta sœur/ton frère va?
7. Où est-ce que ta mère va chaque jour?
8. Où est-ce que ton père va chaque jour?

40

En garde!

Here are 11 means of transportation.

How many do you know?

à bicyclette	en auto	par le train
à cheval	en autobus	
à motocyclette	en avion	
à pied	en bateau	
	en métro	
	en taxi	

F. Réponds aux questions suivantes.

Exemple
Comment est-ce que tu vas à l'école?
Je vais à l'école en auto.

1. Comment est-ce que tu vas à l'école en été?
   en hiver?
2. Comment est-ce que ton professeur va à l'école?
3. Comment est-ce que tes parents vont au travail le matin?
4. Comment est-ce que tu vas en ville?
5. Comment est-ce que tu vas d'un bout d'un lac à l'autre?
6. Comment est-ce que tu vas à Paris en France?
7. Imagine que tu as peur des avions. Comment est-ce que tu vas de Montréal à Calgary?
8. Imagine que tu es cowboy. Comment est-ce que tu voyages?
9. Comment est-ce que tu préfères voyager?
10. Comment est-ce que tu détestes voyager?

«Alouette, gentille Alouette,
Alouette, je te plumerai.»

Have you ever wondered why the lovely lark was being plucked in this well-known French Canadian folksong? Birds were a common source of food for **les habitants de la Nouvelle-France** and plucking them was a necessary but rather boring and unpleasant job. The workers made up songs to make the time pass more quickly as they worked.

41

aller + l'infinitif

Les rêves d'un jeune couple

La fille
- Je **vais être** une actrice excellente.
- Je **vais être** célèbre.
- Je **vais épouser** un homme gentil et beau.
- Nous **allons voyager** en Europe souvent.

Le garçon
- Je **vais jouer** au hockey pour les Canadiens.
- Je **vais acheter** une motocyclette.
- Je **ne vais pas épouser** une femme ordinaire.
- Elle **va être** intelligente et très jolie.

Observation grammaticale

Je ne travaille pas maintenant.

Je **vais travailler** demain.

Monique n'est pas à la maison.

Elle **va rentrer** à quatre heures.

Les enfants mangent déjà?

Non, ils **vont manger** dans deux minutes.

The present tense of the verb **aller** followed by an infinitive is a way of expressing something that is going to happen.

Tu vas travailler demain?

Non, je **ne** vais **pas** travailler demain.

Where do we place **ne** and **pas** when **aller** is followed by an infinitive?

Exercices

A. Changez les phrases en employant la forme qui convient du verbe **aller** plus un infinitif.

Exemple
Il ne mange pas maintenant.
Non, mais il va manger bientôt.

1. Louise n'étudie pas maintenant.
2. Je ne dépense pas l'argent maintenant.
3. Tu n'achètes pas le disque pour Marie maintenant.
4. Nous ne regardons pas la télé maintenant.
5. Vous ne jouez pas du piano maintenant.
6. Guy et Marc ne parlent pas au téléphone maintenant.
7. Il ne quitte pas la salle de classe maintenant.

B. Répondez aux questions suivantes.

Exemple
Tu n'as pas faim.
Est-ce que tu vas manger?
Non, je ne vais pas manger.

1. Il y a un ver dans ta salade.
   Est-ce que tu vas manger la salade?
2. Nous avons un examen demain.
   Est-ce que nous allons regarder la télé ce soir?
3. Vous parlez trop en classe.
   Est-ce que le professeur va être content?
4. Tu manges quatre sandwichs « sous-marins ».
   Est-ce que tu vas avoir faim?
5. Julie et Lucien vont à la discothèque.
   Est-ce qu'ils vont étudier?
6. Le petit garçon porte un chapeau et deux pullovers.
   Est-ce qu'il va avoir froid?
7. Je suis malade.
   Est-ce que je vais rester à l'école?

43

C. A toi de choisir. Réponds avec **aller** plus un infinitif.

Exemple
Tu as soif. Qu'est-ce que tu vas faire?
(boire un coke/boire du lait/boire une
limonade/?)
Je vais boire une limonade.

1. C'est samedi. Qu'est-ce que tu vas faire?
   (regarder la télé/aller au cinéma avec des amis/acheter des vêtements/?)
2. Tu trouves cinq dollars. Qu'est-ce que tu vas faire?
   (acheter un disque/garder l'argent/acheter des hamburgers pour des amis/?)
3. Tu as faim. Qu'est-ce que tu vas manger?
   (des croustilles/un sandwich/une pomme/?)
4. Ton ami est à l'hôpital. Qu'est-ce que tu vas faire?
   (aller à l'hôpital/acheter des fleurs/acheter une carte/?)
5. Un(e) élève copie tes réponses. Qu'est-ce que tu vas faire?
   (parler à l'élève/parler au professeur/parler de l'élève à tes parents/?)
6. Les vacances arrivent. Qu'est-ce que tu vas faire?
   (aller au lac/voyager/rester à la maison/?)
7. Tu aimes la musique. Qu'est-ce que tu vas faire?
   (jouer d'un instrument/écouter la radio/aller au concert/?)

POUR BIEN LIRE

If when reading French you come across a word that you do not know, you can often guess its meaning by recalling other words that are similar or related to it — words of the same "family".

A. Complétez les phrases en suivant l'exemple.

Exemple
Un _____ travaille. Il aime le travail.
Un travailleur travaille. Il aime le travail.

1. Un _____ **voyage**. Il aime les **voyages**.
2. Un _____ **sculpte**. Il aime la **sculpture**.
3. Un _____ **gouverne**. Il aime le **gouvernement**.
4. Un **danseur** _____ . Il aime la **danse**.
5. Un **chanteur** _____ . Il aime le **chant**.
6. Un **joueur** _____ . Il aime les **jeux**.
7. Un **penseur** _____ . Il aime la **pensée**.

Une vente de fourrures

44

B. Complétez les phrases suivantes en employant les mots donnés. Essayez de comprendre le sens des mots.

marchandise	gymnastique	colonie
marché	gymnase	colons
étudiants	mariage	épouse
études	mari	époux

Exemple

Quand un homme **épouse** une femme, il s'appelle l'_____ et elle s'appelle l'_____ .

Quand un homme **épouse** une femme, il s'appelle l'**époux** et elle s'appelle l'**épouse**.

1. En 1663, la France **colonise** le Nouveau Monde. Le Canada est une _____ et les personnes qui habitent au Canada sont des _____ .

2. Gaston n'**étudie** pas bien à l'école. Il trouve ses _____ difficiles et il n'aime pas les autres _____ dans la classe.

3. Le **marchand** travaille au _____ . Il vend de la _____ .

4. Le **gymnaste** fait de la _____ au _____ .

5. Gérald et Sharon **se marient**. Le jour du _____ , Sharon donne une montre à son _____ .

Une nouvelle-colonie en plein centre de la forêt canadienne

45

⊞ LECTURE

Les Filles du Roi
1663 – La Normandie en France

Catherine: Entrez mes amis. Nous avons des choses très importantes à discuter. Ce soir, c'est le dernier soir que nous allons passer ensemble. Demain, je vais quitter la France pour toujours.

Isabelle: Où est-ce que tu vas, Catherine?

5 **Catherine:** Je vais au Canada.

Marguerite: À la colonie en Nouvelle-France? Mais pourquoi? C'est à l'autre bout du monde.

Catherine: Je vais trouver un mari. Je veux avoir des enfants et une famille mais je suis orpheline. En France, qui va épouser une fille sans 10 famille et sans argent? Au Canada, il y a des hommes courageux et industrieux qui ont besoin de femmes.

Isabelle: Mais c'est impossible, Catherine. Qui va organiser ton départ?

Catherine: Le roi Louis XIV et son gouvernement organisent tout pour augmenter la population de la colonie. Le roi paie le voyage. Il donne 15 des cadeaux et de l'argent aux couples le jour de leur mariage.

Marguerite: C'est dégoûtant! Le roi achète les femmes comme un boucher achète les moutons!

Catherine: Peut-être. Mais tu as de la chance Marguerite. Tu as un mari. Je n'en ai pas et j'ai déjà dix-neuf ans. Je vais épouser un homme fort et 20 vaillant immédiatement après mon arrivée.

Marguerite: Tu as tort mon amie. Tu vas épouser un barbare — un fermier, un soldat, un trappeur ou un commerçant de fourrures. Le Canada est un pays sauvage et les hommes ne sont pas civilisés. Ils ont des barbes et des épaules énormes. Ils habitent dans la forêt comme des 25 bêtes. Ils mangent seulement de la viande crue et du pain. Tu vas avoir toujours faim.

Isabelle: Les colons ont toujours peur des Indiens. Ils sont très féroces.

Marguerite: Et le climat est très dur. Tu ne vas pas survivre à l'hiver.

Isabelle: L'hiver? Elle ne va pas survivre au voyage! Le bateau est sale et 30 la nourriture est mauvaise. Tu vas tomber malade, Catherine.

Marguerite: Elle a raison, Catherine. Reste en France avec nous.

Catherine: Je ne vais pas tomber malade. Je suis forte et en bonne santé. D'ailleurs, on dit que les lacs, les vallées et les forêts du Canada sont très beaux.

35 **Isabelle:** Tu es folle. N'accepte pas l'offre du roi.

Catherine: Non, Isabelle. Je suis consciente du danger mais je vais risquer la mort pour trouver la vie.

---

des choses très importantes *important things*

passer *to spend*

orpheline *orphan*

départ *departure*

comme un boucher achète les moutons *like a butcher buys sheep*

Peut-être *Perhaps*

arrivée *arrival*

commerçant de fourrures *fur trader*

crue *raw*

dur *hard, severe*

survivre à *survive*

en bonne santé *healthy*

consciente du danger *aware of the danger*

risquer la mort *risk death*

Compréhension

Répondez aux questions suivantes.

1. Quel âge a Catherine?
2. Où est-ce qu'elle habite?
3. Qui est le roi de France en 1663?
4. Pourquoi est-ce que Catherine quitte la France?
5. Qui organise son départ?
6. Qui paie le voyage?
7. Qu'est-ce que le roi donne aux couples le jour de leur mariage?
8. Pourquoi est-ce que Marguerite a de la chance?
9. Selon Catherine, quelle sorte d'homme est-ce qu'elle va épouser au Canada?
10. Selon Marguerite, quelle sorte d'homme est-ce que Catherine va épouser?
11. Qu'est-ce que la plupart des hommes au Canada en 1663 font pour gagner leur vie?
12. De qui est-ce que les colons ont toujours peur?
13. Marguerite et Isabelle pensent que Catherine ne va pas survivre au voyage ni à la vie au Canada. Pourquoi? Donnez au moins 3 raisons.
14. Pourquoi est-ce que Catherine n'a pas peur du voyage?
15. Qu'est-ce que Marguerite et Isabelle pensent de la décision de Catherine?

Le fouinard

Réponds aux questions suivantes.

1. Est-ce que tu veux avoir des enfants et une famille?
2. Qui dans ta classe est a) industrieux (industrieuse). b) courageux (courageuse), c) fort(e), d) fou (folle), e) amusant(e)?

3. Est-ce que tu as souvent de la chance?
4. Est-ce que tu habites dans une maison ou en appartement?
5. De qui ou de quoi est-ce que tu as peur?
6. Est-ce que tu aimes le climat du Canada?
7. Est-ce que tu aimes les barbes?
8. Qu'est-ce que tu trouves dégoûtant?
9. Est-ce que tu tombes souvent malade quand tu voyages en auto ou en bateau?
10. D'habitude, est-ce que ta mère a raison ou tort quand elle critique tes activités et tes amis?

A ton avis

A. Imagine qu'on est en 1663. Est-ce que les observations suivantes sont vraies ou fausses. Si la phrase est fausse, corrige-la.

1. Le Canada est une colonie anglaise.
2. La population du Canada est petite. On a besoin de femmes pour augmenter la population.
3. La plupart des hommes au Canada sont des fermiers, des soldats et des professeurs.
4. Le voyage en bateau de la France au Canada n'est pas difficile.
5. En France, il est difficile pour une orpheline sans argent et sans famille de trouver un mari.
6. Pour une fille, le mariage est très important.
7. Les filles qui quittent la France pour le Canada ont des parents riches.
8. En France, un homme de qualité ne porte pas de barbe.
9. Le Canada est un pays sauvage et peu développé.
10. Les hommes et les femmes qui quittent la France pour la Nouvelle-France sont courageux.

B. Quelles sont tes préférences personnelles? Considère chacune des options suivantes et réponds **Pour moi, c'est important d'** . . . ou **Pour moi, ce n'est pas important d'** . . .

1. avoir un mari ou une femme
2. avoir des enfants
3. avoir une grande et belle maison
4. avoir beaucoup de vêtements chics
5. avoir une bonne éducation
6. avoir des amis
6. avoir un métier (travail) intéressant
8. avoir une auto
9. avoir beaucoup d'argent
10. voyager
11. être beau (belle)
12. être indépendant(e)
13. être en harmonie avec mes parents
14. être en bonne santé
15. être bilingue

A faire et à discuter

1. Imaginez que vous êtes le roi Louis XIV. Préparez une annonce qui va encourager les filles à quitter la France pour la Nouvelle-France.
2. Est-ce que vous trouvez le projet du roi Louis XIV dégoûtant ou désirable? Donnez des raisons pour votre choix.

Louis XIV, le roi soleil

49

POT-POURRI

A. Composition orale

Où est mon argent?

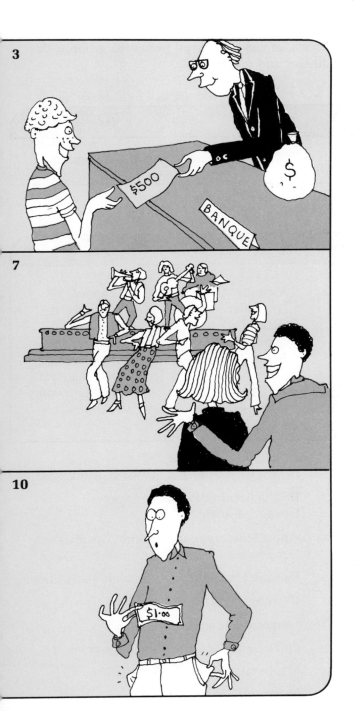

B. Répondez aux questions en suivant l'exemple.

Exemple
Où est-ce que tu vas?   (la bibliothèque)
Je vais à la bibliothèque.
Qu'est-ce que tu vas faire?   (j'étudie)
Je vais étudier.

1. Où est-ce que tu vas?   (la discothèque)
   Qu'est-ce que tu vas faire?   (je danse)
2. Où est-ce qu'il va?   (le magasin de disques)
   Qu'est-ce qu'il va faire?   (il achète des disques)
3. Où est-ce que vous allez, Docteur Masson?   (l'hôpital)
   Qu'est-ce que vous allez faire?   (je visite les malades)
4. Où est-ce que nous allons?   (le concert)
   Qu'est-ce que nous allons faire?   (nous écoutons de la musique)
5. Où est-ce qu'elle va?   (l'hôtel)
   Qu'est-ce qu'elle va faire?   (elle cherche une chambre)
6. Où est-ce qu'ils vont? (le musée)
   Qu'est-ce qu'ils vont faire? (ils regardent une exposition d'art)
7. Où est-ce que je vais, monsieur?   (la colonie de Nouvelle-France)
   Qu'est-ce que je vais faire?   (vous épousez un colon)

51

C. Combien d'ordres est-ce que vous pouvez donner? Utilisez la deuxième personne du pluriel (**vous**).

(Note: You do not have to use every group each time. Can you use a word from each group with **donner** and **parler**?)

Exemple

A	B	C				F	G
acheter	de	le gâteau				à	le magasin

Achetez du gâteau au magasin.

A	B	C	D	E	F	G
acheter		les amis		les amis		l'arène
chercher		les disques		les enfants		le concert
donner	de	le gâteau	à	le baseball	à	l'école
écouter		la musique		le hockey		le magasin
jouer		la nourriture		le tennis		la maison
parler		le piano				le restaurant
		les vêtements				le téléphone
		la viande				

D. Vous avez de la chance. Vous gagnez à la loterie. Maintenant vous allez faire le tour du monde. Composez les phrases. Employez **à** + ville, **au** ou **en** + **le pays** et **à, en** ou **par** + **moyen de transport.**

Exemple
Je/commencer/Toronto

Je vais commencer à Toronto.

Je/aller/l'aéroport/métro/et/taxi.

De l'aéroport/je/aller/Tokyo/Japon.

De Tokyo/je/aller/bateau/Vladivostok/Russie.

De Vladivostok/Russie/je/voyager/le train/Moscou.

Après Moscou/je/aller/avion/Copenhague/Danemark.

De Copenhague/je/aller/autobus/Paris/France.

Je/voyager/France/motocyclette.

La motocyclette/rester/France.

Puis/je/aller/Madrid/Espagne/le train.

Je/aller/avion/New York/Etats-Unis.

Je/rentrer/Toronto/autobus.

A. Dialogue

La visite des Blrp

C'est l'été. Bill dort sous un arbre dans le parc. Deux êtres bizarres arrivent.

Blrp 1:   Excusez-moi. Quelle sorte d'animal êtes-vous?

Bill: Moi? Quoi? Mais je suis un homme!

Blrp 2:   Ah, un homme! *(Il écrit dans un petit cahier.)* Mais . . . vous avez deux jambes et deux bras.

Blrp 1:   Et seulement un pied par jambe! Vous avez de la difficulté à marcher?

Blrp 2:   Ce n'est pas très pratique.
(Il écrit.)

Bill: Très pratique? Mais acheter trois paires de souliers, ça ce n'est pas pratique. Qu'est-ce que vous faites ici?

Blrp 1:   Nous faisons des recherches scientifiques sur la Terre. Vous êtes malade?

Bill: Mais certainement pas! Je suis en excellente santé.

Blrp 2:   Vous êtes très pâle. Et vous n'êtes pas comme nous.

Bill: Oui, mais les hommes ne sont jamais bleus! Noirs, jaunes, bruns, rouges, blancs, mais jamais bleus!

Blrp 1:   Je pense que ce n'est pas une personne complète. *(à Bill)* Où est votre troisième œil?

Blrp 2:   Et où est votre deuxième nez? Et toute cette fourrure sur la tête! C'est dégoûtant!

Bill: Mais, ce sont mes cheveux!

Blrp 1:   Viens, Blrp 2. Nous allons retourner chez nous.

Blrp 2:   Oui, partons tout de suite. C'est vraiment un mauvais spécimen.
(Ils disparaissent.)

53

B. Tout est défendu!

Il y a des affiches partout dans la ville qui indiquent ce que nous pouvons faire et ce que nous ne pouvons pas faire.

1. Quelles restrictions est-ce que les affiches suivantes représentent? Choisissez une des réponses données.

Exemples
Défense de marcher sur la pelouse.

Défense de jeter les ordures.

Défense de jouer.
Défense de fumer.
Défense d'entrer.
Défense de stationner les autos.
Défense de tourner à gauche.
Défense de tourner à droite.
Défense d'afficher.
Défense de doubler.

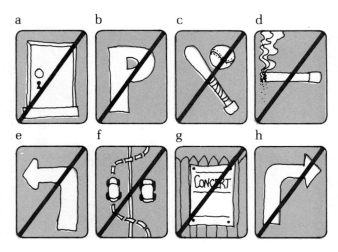

2. Donnez les ordres de l'exercice 1 d'une autre façon.

Exemple
Ne marchez pas sur la pelouse.
Ne jetez pas les ordures.

3. Donnez les ordres en suivant l'exemple.

Exemples
Pas de piétons.
Piétons interdits.

Pas de bicyclettes.
Bicyclettes interdites.

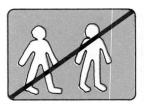

Pas de chiens.
Pas de commerçants.
Pas de camions.
Pas d'enfants.
Pas de camping.
Pas de nourriture.
Pas d'autos.

4. Dessinez une affiche pour illustrer chacune des restrictions de l'exercice 3.

54

VOCABULAIRE ACTIF

Noms (masculin)

le bout	l'homme	le monde
le climat	le lac	le pain
l'enfant	le mari	le pays
l'hiver	le mariage	le roi

Noms (féminin)

la barbe	la montagne	la vallée
la bête	la nourriture	la viande
l'épaule	la reine	la vie
la forêt		

Verbes

aller	gagner	rester
épouser	quitter	

Adjectifs

autre	dernier, dernière	fort, -e
dégoûtant, -e	énorme	sale
premier, première		

Adverbes

déjà	ensemble	toujours
demain	seulement	

Expressions

avoir _____ ans	avoir soif
avoir de la chance	avoir peur
avoir besoin de	avoir raison
avoir chaud	avoir tort
avoir froid	jouer à + un sport
avoir faim	à, en, par + mode de transport

UNITÉ 3

🎯 OBJECTIVES

How would you like to be able to:

- understand the marks and teachers' comments in French written on a report card;
- talk about the weather;
- ask your friends questions about some of their tasks and attitudes;
- talk about some of your good and bad habits relating to school, family and friends;
- discuss the division of household responsibilities within a family?

Formidable!

56

☎ VOCABULAIRE

1. **Cet étudiant** ne **répond** pas à la question.
   Il **oublie tout!**

   Quel est votre nom?!!?

2. C'est l'**été.**
   Edouard passe ses **vacances chez** ses grands-parents.

3. Le **matin,** Gisèle **prend** le train à la **gare.**
   L'**après-midi,** elle **attend** l'autobus pour rentrer.

   AUTOBUS

4. **Ce match** est **ennuyant.**
   L'autre **équipe** va **probablement** gagner.
   Notre **équipe perd** tous les matchs.

   VISITEURS 69
   NOUS 2

57

5. Herman est très **occupé.** Il prépare les **repas** dans la cuisine. Ses enfants restent au **lit.** Ils sont **paresseux.**

6. Nancy est très **occupée** cette **semaine.**

novembre

lundi	9 · projet de géographie	☹
mardi	10 · 3·30 football	
mercredi	11 · PAS DE CLASSES !!!	☺
jeudi	12 · visite au parc provincial avec classe de sciences	
vendredi	13 · test de maths	☹
samedi	14 · Partie chez Phyllis 8·00	
dimanche	15 · dîner chez Tante Roselie et Oncle Ernest.	

7. Quel bon **bulletin!** Cette **étudiante** a une bonne note dans **toutes** les **matières.**

BULLETIN

Etudiante: _Marianne Séguin_

MATIÈRE	NOTE
sciences	87 %
mathématiques	91 %
anglais	95 %
éducation physique	89 %

8. Luc et Marc sont des **copains.**
Ils font **tout** ensemble.
Ils sont toujours **d'accord.**

9. Ils **apprennent** l'**anglais** à l'**école**. Ils **entendent** le professeur mais ils ne **comprennent** pas.

C'est facile, n'est-ce pas?

cat
the boy
the girl

10. C'est **amusant!** Sa **machine à laver** danse et chante.

Exercices

A. Répondez aux questions suivantes.

1. Qui est ce garçon? Qu'est-ce qu'il ne fait pas?
   Pourquoi est-ce qu'il ne répond pas à la question?
2. Quelle saison est-ce?
   Où est Edouard?
   Pourquoi est-ce qu'il ne va pas à l'école?
3. Quel moyen de transport est-ce que Gisèle prend pour aller à l'université le matin?
   Où est-ce qu'elle attend le train?
   Est-ce qu'elle prend le train l'après-midi aussi?
4. Est-ce que ce match est intéressant?
   Quelle équipe va probablement perdre le match?
   Est-ce que l'équipe de cette école gagne les matchs souvent?
5. Est-ce que Herman est paresseux?
   Qu'est-ce qu'il prépare dans la cuisine?
   Est-ce que ses enfants sont occupés aussi?
   Où sont ses enfants?
6. Combien de jours est-ce qu'il y a dans une semaine?
   Qu'est-ce que Nancy fait lundi?
   A quelle heure commence le match de football?
   Pourquoi est-ce que Nancy n'est pas contente vendredi?
   Est-ce qu'elle est occupée dimanche?
   Avec quel groupe est-ce qu'elle quitte l'école mercredi? Pourquoi?
   Quand est-ce qu'elle va à une partie? Où?
   Pourquoi est-ce qu'elle est contente mercredi?
7. Qu'est-ce que c'est?
   Qui est Marianne Séguin?
   En quelles matières est-ce qu'elle est forte? **59**

8. Qui est Luc?
   Qu'est-ce que les deux copains font ensemble?
   Est-ce qu'ils ont souvent des disputes?
9. Où sont ces étudiants?
   Quelle matière est-ce qu'ils apprennent?
   Est-ce qu'ils entendent le professeur?
   Est-ce qu'ils comprennent le professeur?
10. Est-ce que cette machine à laver est normale?
    Pourquoi? Est-ce que tu trouves cette machine à laver amusante?

B. Qu'est-ce que c'est? Trouvez les réponses dans le nouveau vocabulaire.

1. Donnez le contraire de:
   triste
   intéressant
   énergique
   il demande
   le soir
   elle gagne
   l'hiver
   rien
2. Donnez un synonyme de:
   un/une élève
   un ami
   à la maison de

C. Complétez les phrases. Trouvez les réponses dans le nouveau vocabulaire.

1. Un groupe de personnes qui jouent ensemble est une _____ .
2. Une machine pour laver les vêtements est une _____ .
3. Il y a sept jours dans une _____ .
4. Le déjeuner, le dîner et le souper sont les _____ .
5. Vous prenez le train à la _____ .

6. Les maths, les sciences, l'anglais, le français, et l'éducation physique sont des _____ .
7. Mes copains vont à un _____ de hockey ce soir.
8. Je ne peux pas aller au cinéma. Je suis très _____ .
9. Il apprend le français à l'_____ .
10. Ma tante est malade. Elle est dans son _____ .
11. Tous les élèves ont des _____ en juillet et en août.
12. Où est-ce que ta sœur _____ le taxi? Devant la maison.
13. Oh-là-là! J'ai peur de rentrer à la maison. Regardez mon mauvais_____ .
14. Nous quittons l'école à quatre heures de l'_____ .
15. Le professeur répète la question parce que les élèves ne _____ pas bien le français.

D. A ton avis. Réponds à ces questions personnelles.

1. Quel genre de film est-ce que tu trouves ennuyant?
2. Quelle émission de télé est-ce que tu trouves amusante?
3. Quel jour de la semaine est-ce que tu es très occupé(e)?
4. Est-ce que tu préfères le matin ou l'après-midi?
5. Qu'est-ce que tu attends avec impatience?
6. Préfères-tu prendre tes vacances en hiver ou en été?
7. Avec quelle autre personne est-ce que tu es toujours d'accord?
8. Dans quelle classe est-ce que tu réponds toujours bien?
9. Quelle est ton équipe préférée?
10. Qu'est-ce que tu oublies toujours?

STRUCTURES

Les expressions de quantité

1. Il n'y a **pas de** chaises.

2. Il y a **assez de** chaises.

3. Il y a **beaucoup de** chaises.

4. Il y a **trop de** chaises!

Observation grammaticale

Est-ce que tu as **assez d'**argent?
Non, je n'ai **pas d'**argent.
Est-ce que tu as **beaucoup de** projets?
Oui, j'ai **trop de** projets.

After an expression of quantity, **de** without an article is used before the noun. What happens when the noun starts with a vowel?

Exercices

A. Remplacez le(s) mot(s) en caractères gras par l'expression de quantité donnée.

Exemple
Il y a **des** livres sur la table. (beaucoup)
Il y a **beaucoup de** livres sur la table.

1. Tu manges **des** biscuits. (trop)
2. Le chef achète **des** oignons. (assez)
3. Nous regardons **des** films. (beaucoup)
4. Georges a **de l'**argent. (trop)
5. Vous préparez **des** repas? (assez)
6. Cette famille a **des** autos. (beaucoup)
7. Tu as **des** amis. (assez)
8. Il y a **des** élèves dans cette classe. (trop)
9. Ils achètent **des** livres. (beaucoup)
10. Ils ont **des** enfants. (assez)

En garde!

Du café?
Non merci, je **ne** désire **pas de** café.

Vous achetez des oranges?
Non, je **n'**achète **pas d'**oranges.

Since **pas de** expresses a negative quantity, what word will come before the verb?

62

B. Mettez les phrases suivantes à la forme négative. Employez **ne . . . pas de, ne . . . pas d', n'. . . pas de** ou **n'. . . pas d'.**

Exemple
Nous achetons des carottes.
Nous **n'**achetons **pas de** carottes.

1. Il a un chat.
2. Elle mange des bonbons.
3. Les étudiants écoutent des chanteurs.
4. Elle prend des vacances.
5. Nous avons de l'argent.
6. J'ai des problèmes.
7. Ce village a un cinéma.
8. Il porte une barbe.

C. Pose la question à un(e) autre élève. Emploie une expression de quantité dans la réponse.

Exemple
Demande à un(e) élève s'il (si elle) a des frères.
Elève 1: Tu as des frères?
Elève 2: Oui, j'ai beaucoup de frères.
            Non, je n'ai pas de frères.

1. Demande à un(e) élève s'il (si elle) a des soeurs.
2. Demande à un(e) élève s'il (si elle) achète beaucoup de vêtements.
3. Demande à un(e) élève s'il (si elle) mange assez de fruits.
4. Demande à un(e) élève s'il (si elle) regarde trop d'émissions de télé.
5. Demande à un(e) élève s'il (si elle) a beaucoup de tests cette semaine.
6. Demande à un(e) élève s'il (si elle) a trop d'argent.
7. Demande à un(e) élève s'il (si elle) aime les chanteurs modernes.
8. Demande à un(e) élève s'il (si elle) regarde beaucoup de films à la télé.

Le présent des verbes en -re

1. Tu **vends** de la limonade?
Oui, et je **vends** des biscuits pour chien aussi.

2. Il **vend** sa maison.

3. Vous **vendez** cette lampe?
Oui, nous **vendons** tout.

4. Regarde, maman. Ils **vendent** des bonbons.

Limonade

à vendre

63

Observation grammaticale

les verbes en **-re**

Je vend**s** des biscuits.   Nous vend**ons** tout.

Tu vend**s** de la limonade?   Vous vend**ez** cette lampe?

Il vend sa maison.   Ils vend**ent** des ballons.

Elle vend des biscuits.   Elles vend**ent** des robes.

Vend**s** de la limonade!

Vend**ons** tout!

Vend**ez** cette lampe!

Many verbs have the same endings as **vendre**.
They are known as **-re** verbs. Some of these verbs are
attendre, descendre, entendre, perdre, and **répondre.**

Exercices

A. Choisissez le verbe qui convient pour compléter chaque phrase.

Exemple
(attendons/attendez)   Nous _____ l'autobus.
Nous **attendons** l'autobus.

1. (descend/descendent)   Les enfants _____ l'arbre.
2. (répondez/répond)   Qui _____ à la lettre?
3. (entends/entendent)   Je n'_____ pas très bien.
4. (vendez/vends)   Qu'est-ce que tu _____, mon petit?
5. (attendent/attendons)   – Tu veux partir? – Non, _____ le film.
6. (perds/perdez)   Est-ce que vous _____ souvent quand vous jouez aux cartes?
7. (répondent/répondez)   Le professeur dit toujours: « _____ en français, s'il vous plaît. »

> ### En garde!
>
> Elle répond à la question.
> mais
> Elles répon**d**ent à la question.
>
> Il perd le match.
> mais
> Ils per**d**ent le match.
>
> What letter can you hear in the plural form but not in the singular form?

B. Prononcez bien!

1. La fille entend de la musique. Les parents enten**d**ent du bruit.
2. Il répond que oui. Elles répon**d**ent que non.
3. Marthe attend un taxi. Claire et Anne atten**d**ent un autobus.
4. Henri perd un match de tennis. Pierre, David et Raymond per**d**ent un match de baseball.
5. Ce magasin vend des fruits. Ces boutiques ven**d**ent des vêtements chics.

C. Complétez les phrases suivantes. Choisissez un des verbes dans la liste.

attendre/descendre/entendre/perdre/répondre/vendre

Exemple
Est-ce que tu _____ le bébé qui pleure?
Est-ce que tu **entends** le bébé qui pleure?

1. Pourquoi est-ce que Paul est triste? – Son équipe favorite _____ toujours les matchs.
2. Qu'est-ce que tu fais? – Je _____ à la lettre de tante Germaine.
3. Tu _____ en ville? – Non, je reste à la maison.
4. Pourquoi est-ce que tu vas chez Dominion? – Ils _____ toutes sortes de nourriture.
5. Vite mes enfants! Vous n'_____ pas papa?
6. Pourquoi est-ce que vous êtes tristes? – Nous _____ le dentiste.

En garde!

prendre – *to take*

Je **prends** le train. Nous **prenons** l'autobus.

Tu **prends** le bateau. Vous **prenez** le métro.

Anne **prend** l'avion. Ils **prennent** un taxi.

Prends le bateau!

Prenons le train!

Prenez le métro!

The verb **prendre** ends in **-re** but it is not completely regular.

Which forms are different from those of regular **-re** verbs?

The verbs **apprendre** and **comprendre** are like **prendre.**

D. Mettez le sujet et le verbe au pluriel.

Exemple
Elle prend le métro à cinq heures.
Elles prennent le métro à cinq heures.

1. **Je comprends** l'anglais.
2. **La fille de** Madame Tremblay **apprend** très vite.
3. **Tu prends** l'autobus pour aller à l'école?
4. **Le bébé** ne **comprend** pas beaucoup.
5. **Je prends** beaucoup de photos à Noël.
6. Qu'est-ce que **tu apprends** dans la classe de géographie?
7. **Le voleur prend** tout l'argent.
8. Est-ce que **tu comprends** la question?

E. Répondez à la question par un ordre.

Exemples
Nous vendons cette machine?
Oui, **vendez** cette machine.

Tu prends ce train avec moi?
Oui, **prenons** ce train.

J'attends deux minutes?
Oui, **attends** deux minutes.

1. Je réponds au téléphone?
2. Nous descendons en ville?
3. Tu prends une tasse de café avec moi?
4. Nous apprenons à jouer de la clarinette?
5. Je vends ces vêtements?
6. Tu attends le professeur avec moi?

F. Parle de ta famille.

1. Qui répond au téléphone?
2. Quel membre de ta famille attend toujours les autres?
3. Qui perd souvent les clés de la maison?
4. Dans quelle salle est-ce que vous prenez le souper d'habitude?
5. Qui prend des photos?
6. Qui prend l'auto de la famille?
7. Qui perd toujours quand vous jouez aux cartes?
8. Qui prend le dernier biscuit?
9. Qui comprend le français?

L'adjectif démonstratif

1. Ce garçon mange **cette** pomme et **ces** biscuits.

2. Ces étudiants et **ces** étudiantes attendent **cet** autobus.

Observation grammaticale

singulier

masculin

Regardez **ce** garçon.

Attendez **cet** autobus.

féminin

Achetez **cette** pomme.

Ecoutez **cette** étudiante.

pluriel

Regardons **ces** garçons, **ces** pommes et **ces** autobus.

How many different forms of the **adjectif démonstratif** are there?

When do you use **cet?**

Exercices

A. Prononcez bien!

1. Cet enfant mange ces oranges.
2. Est-ce que tu entends cet avion?
3. Cet homme et ces étudiants attendent cet autobus.
4. Ces élèves visitent cet hôpital.
5. Cet acteur achète cette auto.

B. Remplacez les mots en caractères gras par **ce, cet, cette** ou **ces.**

1. Elle vend **des** autos.
2. **L'**homme n'est pas Pierre.
3. Il y a beaucoup de bruit dans **l'**école.
4. Qui attend **le** train?
5. Nous ne comprenons pas **les** questions.
6. **La** femme prend un taxi pour aller en ville.
7. **L'**avion est un Concorde.
8. Qu'est-ce tu fais **l'**après-midi?
9. J'attends mes parents à **la** gare.
10. **L'**exercice n'est pas amusant.

C. Suggérez un mot logique pour compléter chaque phrase.

1. Ce _____ est rouge et blanc.
2. Je vais acheter cette _____ .
3. Ce _____ et cette _____ sont toujours ensemble.
4. Est-ce que vous cherchez ces _____ ?
5. Je n'aime pas cet _____ .

D. Mettez les mots en caractères gras au singulier.

1. Est-ce que Marie est forte en **ces matières**?
2. Je n'ai pas besoin de **ces machines.**
3. Mais regarde **ces bulletins!**
4. J'adore **ces lacs** et **ces forêts.**
5. Vous ne comprenez pas **ces questions**?
6. Le professeur n'aime pas **ces élèves** paresseux.
7. Mangez **ces bananes** et **ces oranges.**
8. Le bébé a peur de **ces bêtes.**
9. Est-ce qu'elle va épouser **ces hommes**?
10. Je mange toujours **ces repas** au restaurant.

Have you ever wondered what a partridge was doing in a pear tree in the song *The Twelve Days of Christmas*? Originally, the song was written using both French and English. "On the first day of Christmas my true love gave to me a partridge, **une perdix.**" **Une perdix** in French sounds very much like a *pear tree* in English. It is easy to see how singers unfamiliar with the French language could confuse them.

Le présent du verbe **faire**

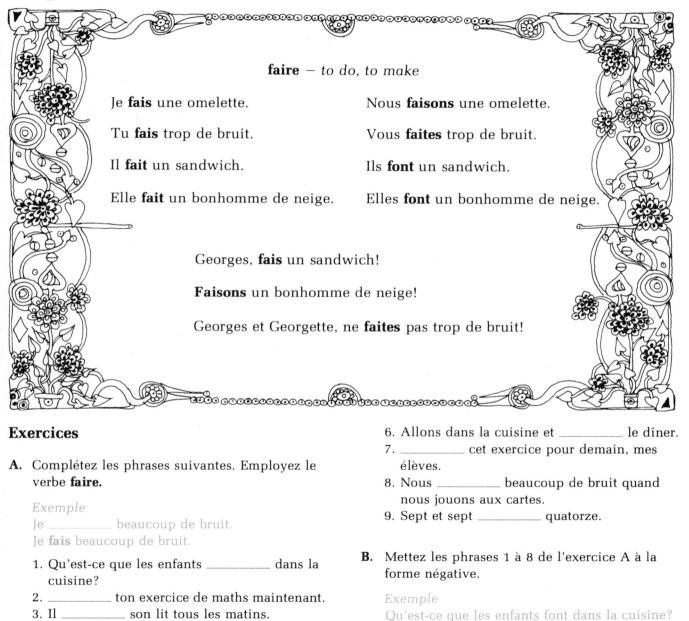

faire — *to do, to make*

Je **fais** une omelette.   Nous **faisons** une omelette.

Tu **fais** trop de bruit.   Vous **faites** trop de bruit.

Il **fait** un sandwich.   Ils **font** un sandwich.

Elle **fait** un bonhomme de neige.   Elles **font** un bonhomme de neige.

Georges, **fais** un sandwich!

Faisons un bonhomme de neige!

Georges et Georgette, ne **faites** pas trop de bruit!

Exercices

A. Complétez les phrases suivantes. Employez le verbe **faire.**

Exemple
Je _____ beaucoup de bruit.
Je **fais** beaucoup de bruit.

1. Qu'est-ce que les enfants _____ dans la cuisine?
2. _____ ton exercice de maths maintenant.
3. Il _____ son lit tous les matins.
4. Je _____ un gâteau au chocolat.
5. Qu'est-ce que vous _____ samedi soir?
6. Allons dans la cuisine et _____ le dîner.
7. _____ cet exercice pour demain, mes élèves.
8. Nous _____ beaucoup de bruit quand nous jouons aux cartes.
9. Sept et sept _____ quatorze.

B. Mettez les phrases 1 à 8 de l'exercice A à la forme négative.

Exemple
Qu'est-ce que les enfants font dans la cuisine?
Qu'est-ce que les enfants **ne** font **pas** dans la cuisine?

69

En garde!

There are many expressions that use the verb **faire**.

1. Elle **fait la cuisine** et ils **font la vaisselle.**

2. Elles **font attention** parce que c'est Raymond qui **fait les réparations.**

3. Jules **fait** toujours **ses devoirs** à la bibliothèque.

4. Marc et Julie **font une promenade** dans la forêt.

5. Barbara n'est pas contente quand elle **fait le ménage.**

C. Choisissez une expression pour compléter chaque phrase

fait la cuisine/fait ses devoirs/fait une promenade/ne fait jamais le ménage/fait la vaisselle/ne fait jamais attention/fait des réparations

Exemple
Cet élève a une mauvaise note parce qu'il _____ en classe.
Cet élève a une mauvaise note parce qu'il **ne fait jamais attention** en classe.

1. La machine à laver ne marche pas bien. Cette femme _____ .
2. C'est un restaurant excellent! C'est un Français qui _____ .
3. Après le souper, mon frère _____ .
4. Mon père a trop d'accidents. Il _____ quand il est dans l'auto.
5. Quel désordre! Jacques _____ dans son appartement.
6. Où est Gisèle? Elle _____ dans sa chambre.
7. Qu'est-ce que ta grand-mère fait l'après-midi? Elle _____ avec son chien Dido.

D. Réponds à ces questions personnelles.

Exemple
Est-ce que tu fais tes devoirs dans la cuisine?
Non, je fais mes devoirs dans le salon.

1. Qu'est-ce que tu fais dans la cuisine?
2. Quand est-ce que tu ne fais jamais attention?
3. Qu'est-ce que tu fais normalement le dimanche matin?
4. A quelle heure est-ce que tu fais tes devoirs?
5. Est-ce que tu fais souvent trop de bruit à la maison?
6. Quelle sorte de réparations est-ce que tu fais à la maison?
7. Quand est-ce que tu fais un gâteau?
8. Pourquoi est-ce que tu fais toujours attention dans la classe de français?
9. Avec qui est-ce que tu fais des promenades?
10. En quelle saison est-ce que tu fais un bonhomme de neige?

En garde!

Many expressions concerning the weather use the verb **faire**.

1. Il neige et **il fait froid.**

2. Il **fait du soleil** et **il fait chaud.**

3. Il pleut! **Il fait mauvais!**

4. Il **fait du vent** et **il fait frais** mais **il fait beau.**

71

E. Répondez aux questions suivantes. Donnez une réponse logique et essayez de donner une réponse différente chaque fois.

Exemple
Quel temps fait-il en décembre?
Il fait froid en décembre.

1. Quel temps fait-il en juin?
2. Quel temps fait-il en mars?
3. Quel temps fait-il en octobre?
4. Quel temps fait-il en avril?
5. Quel temps fait-il en mai?
6. Quel temps fait-il en janvier?
7. Quel temps fait-il en juillet?
8. Quel temps fait-il en février?
9. Quel temps fait-il en novembre?

F. Réponds à ces questions personnelles.

Exemple
Est-ce que tu fais du camping quand il fait du vent?
Non, je fais du camping quand il fait beau.

1. Est-ce que tu nages quand il fait froid?
2. Est-ce que tu fais un bonhomme de neige quand il pleut?
3. Est-ce que tu aimes faire une promenade quand il fait mauvais?
4. Est-ce que tu portes un pullover quand il fait chaud?
5. Est-ce que tu voyages en bateau à voile quand il neige?
6. Est-ce que tu restes à la maison quand il fait du soleil?

L'inversion

1. Vous parlez français?

2. Est-ce que vous parlez français?

3. Parlez-vous français?

Observation grammaticale

interrogatif →	affirmatif
Ils parlent français?	Ils parlent français.
Est-ce qu'ils parlent français?	Ils parlent français.
Parlent-ils français?	Ils parlent français.

What are the three ways to form a question from a statement in French?

Exercices

A. Prononcez bien!

1. Fait-il le ménage?
2. Fait-elle ses devoirs?
3. Achètent-ils des livres?
4. Ecoutent-elles des disques?
5. Font-elles des réparations?

B. Posez la question d'une autre façon.

Exemple
Tu es malade?
Es-tu malade?

1. Vous vendez des disques?
2. Ils achètent un lit?
3. Tu perds tes clés?
4. Vous oubliez la question?
5. Nous avons un examen?
6. Tu as un frère?
7. Il fait toujours attention?
8. Elles vont au match de basketball?
9. Ils font du camping dans la forêt?

C. Voici des réponses. Posez la bonne question. Employez l'inversion.

Exemple
Oui, je comprends la question.
Comprends-tu la question?

1. Oui, nous cherchons cette école.
2. Non, ils ne font pas le ménage.
3. Oui, elle prend l'autobus.
4. Non, je ne suis pas occupée.
5. Oui, elle est paresseuse.
6. Non, nous ne sommes pas d'accord.
7. Oui, il fait toujours la vaisselle.
8. Non, je ne vais pas au cinéma ce soir.
9. Oui, nous avons trop de devoirs.
10. Non, je ne trouve pas cet exercice ennuyant.

 En garde!

Il a quinze ans.
A-**t**-il quinze ans?

Elle gagne le match.
Gagne-**t**-elle le match?

When the **il/elle** form of a verb ends in a vowel, what consonant is added in the question form?

D. Prononcez bien!

1. Va-t-il à Montréal?
2. A-t-elle une sœur?
3. Reste-t-elle dans son lit?
4. Rentre-t-il à la maison?
5. Oublie-t-elle la réponse?
6. Achète-t-il cette machine à laver?
7. Mange-t-elle cette nourriture?
8. Etudie-t-il dans sa chambre?

73

E. Faites une question. Notez bien les exemples.

Exemples
Ton père fait souvent la vaisselle.
Ton père, **fait-il** souvent la vaisselle?

Les enfants jouent dans le parc.
Les enfants, **jouent-ils** dans le parc?

1. Le chien aime faire des promenades.
2. Marianne est occupée cet après-midi.
3. Ces livres sont ennuyants.
4. Mme Tremblay va en ville ce matin.
5. Cette étudiante parle français.
6. Ce film est amusant.
7. Tes parents font souvent le ménage ensemble.
8. Cette équipe gagne beaucoup de matchs.
9. Ce mari adore sa femme.
10. Ces enfants restent dans la maison quand il pleut.

F. Demande à un(e) élève s'il (si elle) . . .

Exemple
. . . va à l'école le dimanche.
Vas-tu à l'école le dimanche?

1. . . . fait toujours attention dans la classe de maths.
2. . . . regarde souvent la télé.
3. . . . comprend l'italien.
4. . . . a un téléphone dans sa chambre.
5. . . . aime la pizza.
6. . . . fait toujours ses devoirs.
7. . . . achète beaucoup de disques.
8. . . . est souvent d'accord avec son frère/sa sœur.
9. . . . fait son lit tous les matins.
10. . . . est occupé(e) samedi soir.

On

Ici **on** parle français.
French is spoken here.

On va au cinéma?
Shall we go to the movies?

On dit qu'il est riche.
They say he is rich.

On is used much more frequently in French than is its English equivalent "one".

Exercices

A. Choisissez la bonne réponse.

1. Qu'est-ce qu'on fait quand on perd un match de tennis?
   a) On pleure.
   b) On chante.
   c) On prend ses balles et on rentre à la maison.
   d) On dit: «Tu joues très bien. Félicitations.»
2. Qu'est-ce qu'on attend avec impatience?
   a) On attend les classes de français avec impatience.
   b) On attend le premier jour de classes en septembre avec impatience.
   c) On attend son bulletin avec impatience.
   d) On attend les vacances d'été avec impatience.
3. Qu'est-ce qu'on dit quand on ne comprend pas le professeur?
   a) On dit: «Puis-je aller à la toilette?»
   b) On dit: «Répétez la question, s'il vous plaît.»

c) On dit: « Je ne désire pas répondre à cette question, merci. »

d) On dit: « Avez-vous un stylo? »

4. Qu'est-ce qu'on fait après le souper?

a) On fait son lit.

b) On fait attention.

c) On fait la vaisselle.

d) On fait la cuisine.

5. Qu'est-ce qu'on dit le premier janvier?

a) On dit: « Joyeux Noël! »

b) On dit: « Faites attention! »

c) On dit: « Bonne Année! »

d) On dit: « Bon anniversaire! »

6. Qu'est-ce qu'on fait s'il y a un accident dans la rue?

a) On téléphone à ses amis.

b) On téléphone à la police.

c) On regarde la télé.

d) On fait le ménage.

B. Dites la même chose d'une autre façon. Commencez votre réponse par **on**.

Exemples

Ils parlent français au Québec?

On parle français au Québec?

Regardons la télé ce soir.

On regarde la télé ce soir?

1. Prenons un café.

2. Ils font de l'éducation physique dans cette école?

3. Achetons des arachides.

4. Ils vendent des livres anglais ici?

5. Attendons l'autobus devant l'hôpital.

6. Ils dansent beaucoup dans cette école?

7. Allons au cinéma.

8. Faisons la vaisselle maintenant.

9. Ils commencent à manger maintenant?

10. Cherchons un restaurant.

POUR BIEN LIRE

A In the following sentences you will find many French words that look very much like their English counterparts. Make a list of all such words along with their English equivalents. What do all of the English words have in common?

1. J'ai des responsabilités dans ma famille.

2. Ma sœur est probablement à l'université.

3. Cette colonie est dans une vallée.

4. Ma grand-mère a une bonne mémoire et beaucoup d'énergie.

5. C'est l'anniversaire de cette compagnie.

B. Accents are very important in French. They often replace English letters. Look at the following French words. What letter in English corresponds to the French accent, or to the letter plus its accent?

1. Ma mère travaille à l'**hôpital.**

2. Les **bêtes** sont dans la **forêt**.

3. Cet **étudiant étudie** à l'**école.**

PROVERBE

Après la pluie,

le beau temps.

75

# LECTURE

Moi? Egoïste?

J'ai peur de rentrer à la maison cet après-midi. Pourquoi? Regardez ce bulletin.
Les notes ne sont pas mauvaises mais remarquez les commentaires des profs!

BULLETIN

ELEVE: *Grégoire Lemieux* **CLASSE:** *7F* **DATE:** *le 13 décembre*

MATIÈRE	NOTE	COMMENTAIRE DU PROFESSEUR
anglais	74%	Grégoire ne fait pas attention en classe.
éducation physique	68%	Grégoire désire toujours gagner. Si son équipe perd un match, il est fâché. Cette attitude est abominable.
français	79%	Grégoire ne répond pas souvent aux questions dans cette classe. Il parle trop avec ses copains.
mathématiques	80%	Cet élève ne fait pas ses devoirs. Il est paresseux.
sciences	79%	Grégoire attend toujours la dernière minute pour faire ses projets.
géographie	80%	Ce petit égoïste ne travaille pas bien dans un groupe et il est insensible aux autres élèves.

Grégoire ne fait pas assez d'effort.

Jérôme Leroi

SIGNATURE DU DIRECTEUR

Mes profs sont des imbéciles. Je n'aime pas l'école. J'attends toujours avec impatience les vacances d'été. C'est vrai, mes copains et moi, nous faisons beaucoup de bruit en classe et je fais souvent l'imbécile. Pourquoi pas? Mes profs sont ennuyants et les autres pensent que je suis amusant. Je n'étudie pas mais
5 tant pis! Je suis intelligent et mes notes sont bonnes. Je ne suis pas égoïste, insensible et paresseux comme disent mes professeurs. Mais mes parents vont probablement être d'accord avec ces commentaires.

   Prenez ma mère, par exemple. Elle pense que je suis paresseux et insensible. Ma mère est dentiste. Elle travaille trois jours par semaine à l'université. Chez
10 nous, elle fait la cuisine — ses repas sont excellents. Le matin elle fait les lits et le soir elle lave et repasse les vêtements de toute la famille. Elle est toujours occupée mais ma mère a beaucoup d'énergie. Et j'aide ma mère! Une fois par semaine ma sœur et moi, nous faisons la vaisselle. Je ne suis pas paresseux. J'oublie toujours son anniversaire et la fête des mères mais je ne suis pas insensi-
15 ble. Je n'ai pas de mémoire!

   Mon père pense que je suis égoïste et paresseux. Il travaille dans la compagnie de mon grand-père. On vend des machines à laver. Pendant la semaine il voyage beaucoup. Franchement, j'oublie qu'il existe! Il rentre à la maison le vendredi soir et ma mère, mes frères (j'en ai deux) et ma sœur attendent mon père
20 à la gare. Il est fâché parce que je ne vais pas à la gare avec les autres. Mais qu'est-ce que je peux faire? Les émissions de télé sont très bonnes le vendredi soir et j'adore la télé.

   Le week-end, mon père reste à la maison. Quand il fait beau, il fait des promenades avec ma mère et il aide ma sœur à faire ses devoirs. Ma sœur a des
25 difficultés en classe, surtout en mathématiques. Elle n'est pas forte en maths comme moi. Mon père fait aussi des réparations à la maison et il lave l'auto, les fenêtres et les planchers. Mais j'aide mon père aussi de temps en temps. J'ai besoin de mon argent de poche.

   Des responsabilités? J'en ai assez! Je suis très populaire. C'est moi qui décide
30 qui va être dans mon petit gang et ce que nous faisons le samedi soir. Je ne suis pas égoïste, insensible et paresseux. Ils ont tous tort mais les adultes ne comprennent pas les jeunes.

---

tant pis *too bad*

égoïste *self-centred, selfish*

insensible *insensitive, unfeeling*

repasse *irons*

Une fois par semaine *Once a week*

la fête des mères *Mother's Day*

surtout *above all, especially*

de temps en temps *from time to time*

Compréhension

A. Est-ce que les phrases suivantes sont vraies ou fausses selon le texte? Si la phrase est vraie, répondez «vrai». Si la phrase est fausse, répondez «faux» et corrigez-la.

Exemple
Grégoire ne fait pas de bruit en classe.
Faux. Grégoire fait beaucoup de bruit en classe.

1. Grégoire a peur de rentrer à la maison parce que ses notes sont mauvaises.
2. Grégoire est fort en mathématiques.
3. Grégoire fait attention dans la classe d'anglais.
4. Grégoire ne fait pas ses devoirs.
5. Sa note moyenne est de 78%.
6. Le directeur pense que Grégoire fait un effort à l'école.
7. Grégoire attend avec impatience la première journée d'école en septembre.
8. Grégoire pense que les jeunes ne comprennent pas les adultes.
9. La mère de Grégoire travaille trois jours par semaine à l'université.
10. Il y a quatre enfants dans la famille de Grégoire.
11. Le grand-père de Grégoire vend des machines à laver.
12. Grégoire aide son père parce qu'il est gentil.

B. Posez des questions sur la lecture.

Exemple
Grégoire, aime-t-il l'école et ses profs?

Le fouinard

A. Es-tu démon ou ange?

Choisis la phrase qui te décrit la plupart du temps.

1. a) Je ne fais pas attention en classe.
   b) Je fais toujours attention en classe.
2. a) Je désire toujours gagner.
   b) Gagner? Ce n'est pas important.
3. a) J'ai toujours raison. Les autres ont toujours tort.
   b) Je respecte bien les opinions des autres.
4. a) Je ne réponds pas bien en classe.
   b) Je réponds bien en classe.
5. a) Je ne fais pas mes devoirs.
   b) Je fais toujours mes devoirs.
6. a) J'attends toujours à la dernière minute pour faire mes projets.
   b) Je fais immédiatement mes projets.
7. a) Je suis égoïste.
   b) Je ne suis pas égoïste.
8. a) Je suis paresseux (paresseuse).
   b) Je travaille fort.
9. a) Je suis insensible.
   b) Je suis sensible.
10. a) Je n'aide pas souvent les autres.
    b) J'aide souvent les autres.
11. a) J'oublie souvent l'anniversaire de ma mère et la fête des mères.
    b) Je n'oublie pas l'anniversaire de ma mère ni la fête des mères.
12. a) Je ne fais pas d'effort à l'école.
    b) Je fais un bon effort à l'école.
13. a) Mes parents et mes profs sont des imbéciles.
    b) J'écoute toujours mes parents et mes professeurs.
14. a) Je fais souvent l'imbécile en classe.
    b) Je ne fais pas l'imbécile en classe.
15. a) D'habitude je ne dis pas« merci ».
    b) Je dis toujours « merci ».

Pour chaque réponse **a** compte 2 points. Voici ta véritable personnalité!

24—30   Tu es un véritable démon. Tu vas certainement brûler.

18—24   Fais attention! Si tu ne brûles pas, tu vas avoir très chaud.

10—18   Prends courage! Avec un peu d'effort tu peux toujours changer.

0—10   Bien fait! Voilà ta harpe.

79

B. Réponds aux questions suivantes.

1. As-tu peur de rentrer à la maison avec ton bulletin?
2. Les commentaires sur ton bulletin, sont-ils bons ou mauvais?
3. Aimes-tu l'école? Pourquoi?
4. Tes profs, sont-ils ennuyants?
5. Ta mémoire, est-elle bonne ou mauvaise?
6. Quel jour de la semaine aimes-tu regarder la télé?
7. D'habitude, qu'est-ce que tu fais le week-end?
8. En quelle matière es-tu fort(e)?
9. Aides-tu souvent un(e) ami(e) à faire ses devoirs?
10. Ta mère, travaille-t-elle?

À ton avis

A. À ton avis, Grégoire, est-il insensible? égoiste? paresseux? Pourquoi?

B. Es-tu d'accord avec les phrases suivantes? Réponds **Je suis d'accord** ou **Je ne suis pas d'accord**.

1. L'école est ennuyante.
2. Les commentaires des profs ne sont pas importants.
3. Quelqu'un qui fait l'imbécile en classe est amusant.
4. Le ménage est la responsabilité de la femme.
5. Ce n'est pas le rôle des hommes de faire la vaisselle.
6. Si ta mémoire est mauvaise, c'est une bonne idée de faire une liste.
7. Il est important que la famille mange ensemble le soir.
8. Une bonne mère ne travaille pas.

9. C'est important que chaque membre de la famille accepte les responsabilités du ménage.
10. Les hommes font mieux la cuisine que les femmes.

À faire et à discuter

1. Faites une liste de tout ce que vous faites à la maison et à l'école pendant la semaine pour aider les autres.
2. Imaginez que vous êtes professeur. Choisissez un étudiant dans la classe et préparez les commentaires pour son bulletin.
3. Tout le monde a des défauts mais on peut toujours changer. Qu'est-ce que vous allez faire pour devenir plus aimable? Faites une liste de résolutions.

La Cité Etudiante Polyno

⧉ POT-POURRI

A. Composition orale

A la gare

B. Regardez les images, pages 57, 58 et 59 et puis préparez des questions. Employez **qui, quand, où, pourquoi, comment** et/ou l'inversion.

Exemple
Les enfants de Herman, sont-ils dans la cuisine?

C. Composez des phrases. Utilisez la forme appropriée du verbe et de l'adjectif démonstratif **ce.** Ajoutez des articles si nécessaire.

Exemple
Faire/elle/promenades/quand/il/faire/beau?
Fait-elle des promenades quand il fait beau?

1. On/vendre/ce/machine/dans/ce/magasin.
2. Ce/équipe/perdre/trop/de/matchs.
3. Ce/étudiant/être/toujours/occupé.
4. Je/apprendre/maths/et/anglais/ce/après-midi.
5. Faire/vous/cuisine/pour/tous/repas?
6. Ce/été/nous/aller/prendre/avion/pour/aller/en/France.
7. Etre/tu/toujours/d'accord/avec/tes/copains?

D. Comment est-ce qu'on dit en français?

1. I have too much homework.
2. It's hot today.
3. Pay attention!
4. It's sunny.
5. Let's wait for the bus.

82

ENRICHISSEMEN

Une interview avec une jeune Canadienne.

Chantal Lemieux

Quel est votre nom?
Je m'appelle Chantal Lemieux.
Quel âge avez-vous?
J'ai quatorze ans.
Avez-vous des sœurs ou des frères?
J'ai un frère. Il s'appelle Joël Lemieux.
Avez-vous souvent des disputes avec ce frère?
Je pense que tout frère et sœur ont des disputes. Oui.
A quelle école allez-vous?
Je vais à l'école Commerce à Windsor. Je suis en neuvième.

J'aime l'école, oui, pour maintenant. Toutes mes amies vont là. Et puis il y a le français. Je trouve qu'il y a de très bons professeurs. C'est une école qui n'est pas contre les Français et pas contre les Anglais non plus. Je trouve que les relations sont bonnes. On est encore frères avec les Anglais. C'est une bonne école — les cours de français se donnent en français.

Allez-vous étudier à une université? A quelle université?

Je crois bien. A l'université de Montréal si tout marche bien.

En quelle matière?

Je ne sais pas — le français, la géographie, peut-être.

En quelles matières êtes-vous forte?

Je suis forte certainement en français, en géographie et en histoire.

Pensez-vous que les notes sont importantes?

Oui, beaucoup.

Que faites-vous après les classes normalement?

Après les classes je joue de la musique, je suis avec mes amis et je lis un livre — quelque chose d'intéressant.

Et pendant le week-end?

Je joue, je vais au théâtre, on a des rencontres familiales.

Avez-vous beaucoup d'amis?

Oui, beaucoup.

Des garçons ou des filles?

Les deux. Beaucoup de filles.

Jouez-vous d'un instrument de musique?

Oui, quatre! En premier du piano, ensuite de la flûte, ensuite de la guitare et de la clarinette.

Quelle sorte de disques achetez-vous?

Les disques français de France, d'autres des Québécois, des disques anglais.

Quels sports aimez-vous?

Mon préféré est le soccer. Puis c'est le hockey. Préférez-vous regarder les sports ou participer aux sports?

Je regarde beacoup plus les sports que je les joue, mais j'aime participer aussi.

Quand regardez-vous la télé?

Je regarde la télévision surtout pour me reposer le soir, après une longue journée d'école.

Pensez-vous que les jeunes regardent trop la télévision?

Oui, je trouve qu'ils regardent trop de télévision. Puis, la télévision fait tout pour nous. On s'attache trop aux valeurs de la télé.

Préférez-vous l'été ou l'hiver?

Je préfère l'été et l'hiver — ça dépend. J'aime l'été parce qu'on peut se baigner, on peut jouer, il y a le bois; la nature change. Mais l'hiver — le climat est rude, on peut s'endurcir, et puis j'aime les sports d'hiver comme le hockey, le toboggan.

Qu'est-ce que vous trouvez ennuyeux?

La télé. Ensuite les jeux de cartes. La classe pour être franche là. J'aime un professeur qui est capable d'arriver, puis de prendre des décisions. J'aime quelque chose de solide. Pour la télé — j'aime beaucoup plus écrire mes propres histoires que d'écouter les autres à la télé. Je veux développer mon imagination.

Quel jour de la semaine préférez-vous? Pourquoi?

J'aime le lundi parce qu'on commence l'école. Mais le jour que j'aime beaucoup plus, c'est vendredi. Il me semble que c'est là le début de la semaine.

Très bien; merci Chantal.

B. Travaillez avec un partenaire pour faire une interview avec une personne réelle ou imaginaire.

83

VOCABULAIRE ACTIF

Noms (masculin)

l'anglais	le directeur	le match
l'après-midi	l'été	le matin
le bulletin	l'étudiant	le repas
le copain	le lit	

Noms (féminin)

l'école	la gare	la matière
l'éducation physique	la géographie	les sciences
l'équipe	la machine à laver	la semaine
l'étudiante	les mathématiques	les vacances

Verbes

apprendre	faire	prendre
attendre	oublier	répondre
comprendre	perdre	vendre
entendre		

Adjectifs

amusant, -e	occupé, -e
ce, cet, cette, ces	paresseux, paresseuse
ennuyant, -e	tout, toute, tous, toutes

Adverbes

assez	probablement
beaucoup	trop

Pronoms

tout

Prépositions

chez

Expressions

être d'accord	faire frais	faire du soleil
faire attention	faire froid	faire la vaisselle
faire beau	faire mauvais	faire du vent
faire chaud	faire le ménage	il neige
faire la cuisine	faire une promenade	il pleut
faire ses devoirs	faire des réparations	

UNITÉ 4

◎ OBJECTIVES

How would you like to be able to:
- discuss how to become fit and stay in shape;
- talk about sports and activities you know how to do;
- describe your family and friends;
- refer to people of different nationalities;
- figure out suitable words to complete a reading passage?

Chic alors!

🕻 VOCABULAIRE

1. Guillaume **prend du poids.**
Le **médecin choisit** un **régime** de 800 calories **par jour** pour **lui.**
Il va **maigrir;** il va **perdre du poids.**

maigrir avec 800 calories par jour.

2. Marcel **est en forme.**
Il **fait de la gymnastique.**
Il a le **ventre plat.**

3. Barbara veut **être en bonne santé.**
Elle ne **fume** pas.

cigarettes

4. Ce garçon est **maigre comme un clou.**
Il est **à peine** visible.

5. Ces **beignes** sont **frais** et **délicieux**.
L'homme **remplit** son assiette de beignes.

6. Il n'**obéit** pas **à** son médecin.
Il ne **compte** pas ses calories.
Et il **grossit**.
Il **pèse** 150 kg.

7. André est **terriblement** timide.
Il **rougit** quand il voit une fille.

8. Elle **réussit à** l'examen.
Elle **sait** toutes les réponses.

9. Paula **court** pour avoir les **cuisses**
et les **hanches** fermes.
Ensuite elle prend une **douche.**

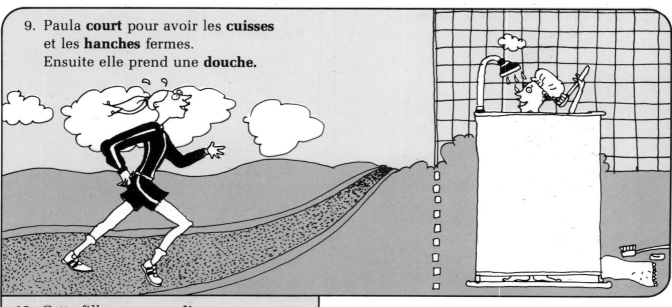

10. Cette fille veut **grandir** encore.
Elle **mesure** seulement 135 cm.
Sa **taille** est de 135 cm.
Elle est **malheureuse.**

Exercices

A. Répondez aux questions suivantes.

1. Quel est le problème de Guillaume?
   Qu'est-ce que le médecin fait pour lui?
   Quelle sorte de régime a-t-il?
   Va-t-il maigrir s'il perd du poids?
2. Qu'est-ce que Marcel fait pour rester en
   forme?
   Quel effet est-ce que la gymnastique a sur le
   ventre de Marcel?
3. Qu'est-ce que Barbara fait pour être en bonne
   santé?
4. Pourquoi le garçon est-il à peine visible?
5. Décrivez les beignes.
   Qu'est-ce que l'homme fait avec les beignes?
6. Pourquoi l'homme est-il gros?
   Combien pèse-t-il?
7. Qu'est-ce qu'André fait quand il voit une
   fille?
   Pourquoi?

8. Est-ce que la fille échoue à l'examen?
   Combien de réponses sait-elle?
9. Pourquoi est-ce que Paula court?
   Qu'est-ce qu'elle fait ensuite?
10. Qu'est-ce que la fille veut faire?
    Pourquoi?
    Est-ce qu'elle est contente?

B. Complétez les phrases. Trouvez les réponses dans le nouveau vocabulaire.

1. Il aime beaucoup manger les _____ au chocolat.
2. Le contraire de *maigrir* est _____ .
3. Quand on dit «un, deux, trois,» . . . on _____ .
4. Une partie de la jambe est la _____ .
5. Dans l'eau, on peut nager ou faire de la natation; dans le gymnase on peut faire des exercices ou faire _____ .
6. Le contraire de *prendre du poids* est _____ .
7. Quand une personne est très, très maigre, on dit qu'elle est _____ _____ _____ _____ .
8. Le contraire du mot *heureux* est _____ .
9. Ce garçon va très vite; il _____ .
10. L'élève veut répondre à la question parce qu'il _____ la réponse.

C. Complétez les phrases avec un mot de la liste suivante.

à peine/choisit/fume/grossit/obéit/
plat/régime/taille

1. Léon _____ trois paquets de cigarettes par jour. C'est dégoûtant.
2. Je veux maigrir. Je choisis un _____ de 800 calories par jour.

3. Ce garçon est grand; sa _____ est de 220 cm.
4. Il y a trop de bruit ici. Je peux _____ entendre la musique.
5. Jacques mange trop. Il _____ beaucoup.
6. Marie est en forme; elle a le ventre _____ .
7. Il y a une auto bleue, une auto verte et une auto noire. M. Savard _____ l'auto bleue.
8. C'est un bon chien; il _____ toujours à son maître.

D. Qu'est-ce que tu aimes faire? Qu'est-ce que tu n'aimes pas faire? Quand? Pourquoi? Il y a beaucoup de réponses possibles.

Exemple
écouter des disques   quand?
                             quelle sorte?
J'aime écouter des disques tous les soirs.
Je n'aime pas écouter de disques de musique classique.

1. courir	quand? souvent?
2. prendre du poids	pourquoi?
3. perdre du poids	pourquoi?
4. réussir	à quoi?
5. obéir aux professeurs	quels professeurs?
6. faire de la natation	quand? souvent?
7. fumer	pourquoi?
8. choisir des cadeaux	pour qui? quand?
9. faire de la gymnastique	où? souvent?
10. manger des beignes	quelle sorte?
11. prendre une douche	quand?
12. écouter la radio	quand? quel(s) poste(s) de radio?

Le présent des verbes en **-ir**

Restez en forme au gymnase.

a) Vous voulez faire de la gymnastique?
Remplissez cette formule s'il vous plaît.

b) Elle **bondit!**

c) Nous **finissons** nos exercices dans deux minutes!

d) Elles **réussissent** les exercices.

Bravo! Hourra!

e) Est-ce que tu **maigris?**
Mais bien sûr que je **maigris!**
Regarde mon pantalon!

Observation grammaticale

Les verbes en -ir

Je rempl**is** la formule.   Nous rempl**issons** nos tasses.

Tu rempl**is** le sac.   Vous rempl**issez** les formules.

Il rempl**it** son assiette.   Ils rempl**issent** les sacs.

Elle rempl**it** les tasses.   Elles rempl**issent** les assiettes.

Rempl**is** les tasses!

Rempl**issons** les sacs!

Rempl**issez** la formule!

These verbs are known as **-ir** verbs because their infinitive ends in **-ir.**

How do we make the command forms of **-ir** verbs?

Other verbs from this group that you know are:

bondir, finir, choisir, grandir, grossir, maigrir, obéir (à), réussir (à) and **rougir.**

Exercices

A. Complétez les phrases suivantes avec la forme du verbe qui convient.

Exemple
Je _____ mon assiette. (remplir)
Je **remplis** mon assiette.

1. Ils _____ aux examens. (réussir)
2. Pauline _____ beaucoup. (maigrir)
3. Je _____ les sacs. (remplir)
4. Nous _____ aux examens. (réussir)
5. Les soldats _____ aux ordres. (obéir)
6. _____-vous bientôt? (finir)
7. Tu _____ trop vite. (grandir)
8. Laurent _____ les exercices. (finir)

B. Mettez les phrases au pluriel.

Exemple
Philippe ne finit pas l'exercice. (Philippe et Jean)
Philippe et Jean finissent l'exercice.

1. Georgette ne choisit pas le cadeau. (Georgette et Marie)
2. Mme Lebrun ne finit pas le travail. (M. et Mme Lebrun)
3. Je ne réussis pas les exercices. (Lise et moi, nous)
4. Tu ne remplis pas les sacs. (Denis et toi, vous)
5. Anne n'obéit pas aux ordres. (Anne et Michèle)
6. Marc ne maigrit pas. (Marc et Denis)

91

C. Donnez un ordre.

Exemple
Dites à Jacques de remplir le sac.
Remplis le sac, Jacques.

1. Dites à M. Jutras de choisir une carte.
2. Dites à Lucie de finir ses devoirs.
3. Dites à Michel et à Luc d'obéir au professeur.
4. Dites à Jacquie de ne pas maigrir.
5. Dites à Charles et à Jean de ne pas remplir les assiettes.
6. Dites à Marcel de ne pas rougir.
7. Dites à Mme Bézaire de réussir les exercices.

D. Complétez les phrases. Pour chaque réponse, choisissez un verbe de la liste suivante.

choisir/finir/grossir/maigrir/remplir/réussir/
rougir

Exemple
Je _____ l'exercice.
Je **finis** l'exercice.

1. Que fais-tu? Je _____ une robe.
2. Il _____ ses devoirs à six heures chaque soir.
3. Nous _____ ces sacs de jouets pour les enfants.
4. Tu _____ beaucoup. Tu pèses seulement 45 kg.
5. Ils mangent trop et, par conséquent, ils
   _____ .
6. Annette est très intelligente. Elle _____ toujours aux examens.
7. – Pourquoi _____ -vous?
   – Je ne sais pas la réponse.

E. A toi de choisir. Réponds aux questions suivantes.

1. Quel cadeau est-ce que tu choisis pour une amie?
   (un disque/des fleurs/des chocolats/?)
2. Quel cadeau est-ce que tu choisis pour un ami?
   (un disque/un livre/un stylo/?)
3. Où et quand est-ce que tu finis tes devoirs?
   (dans la classe/à la maison après le souper/au dernier moment/?)
4. Qu'est-ce que, vous choisissez comme cadeau pour ton père, toi et ta mère?
   (une cravate/un pullover/une chemise/?)
5. Est-ce que les élèves de cette classe obéissent au professeur?
   (oui – toujours/oui – souvent/oui – rarement/non-jamais)

In different parts of the French-speaking world, different words are often used to refer to the same thing. If you were in France, for example, you would eat **le petit déjeuner** in the morning, **le déjeuner,** the main meal of the day, at noon and **le dîner** in the evening. But in Canada you would have **le déjeuner** in the morning, **le dîner** at noon and **le souper** in the evening.

Les adjectifs possessifs

93

Observation grammaticale

les pronoms sujets	les adjectifs possessifs					
je	**mon** ⎫		**ma** ⎫		**mes** ⎫	**frères**
tu	**ton** ⎬	père	**ta** ⎬ soeur		**tes** ⎬	
il/elle	**son** ⎭		**sa** ⎭		**ses** ⎭	soeurs
nous	**notre** ⎫				**nos** ⎫	cousins
vous	**votre** ⎬	grand-père			**vos** ⎬	cousines
ils/elles	**leur** ⎭	grand-mère			**leurs** ⎭	

Exercices

A. Complétez les phrases suivantes en choisissant la forme de l'adjectif possessif entre parenthèses qui convient.

Exemple
(mon/ma/mes)   Voilà _____ oncle.
Voilà mon oncle.

1. (mon/ma/mes)   C'est _____ médecin.
2. (son/sa/ses)   Il regarde _____ livre.
3. (notre/nos)   Ce sont _____ cousines.
4. (votre/vos)   Est-ce que c'est _____ professeur?
5. (ton/ta/tes)   Est-ce que c'est _____ bicyclette?
6. (leur/leurs)   Ils écoutent _____ disques.
7. (mon/ma/mes)   Ce sont _____ stylos.
8. (leur/leurs)   Je joue avec _____ cousin.
9. (son/sa/ses)   _____ maison est grande.
10. (votre/vos)   _____ copains sont intéressants.
11. (ton/ta/tes)   Tu choisis _____ vêtements.
12. (notre/nos)   _____ chien grossit.

B. Répondez aux questions suivantes. Employez un adjectif possessif.

Exemple
Est-ce que c'est le frère de Louis?
Oui, c'est **son** frère.

1. Est-ce que c'est le bateau de M. et de Mme Savard?
2. Est-ce que c'est mon cadeau?
3. Est-ce que c'est votre chien, Cécile et Paula?
4. Est-ce que c'est la tante de Nicole?
5. Est-ce que ce sont les copains de Luc et de René?
6. Est-ce que c'est ta mère?
7. Est-ce que ce sont nos cartes?
8. Est-ce que ce sont nos cousines?
9. Est-ce que c'est le bébé de Mme Lemieux?
10. Est-ce que c'est ton professeur?

C. Répondez aux questions en suivant l'exemple.

Exemple
Il fait ses devoirs. Et nous?
Vous faites vos devoirs aussi.

1. Je vends ma maison. Et M. Lebrun?
2. Tu regardes ton copain. Et nous?

94

3. Marcel fait ses exercices. Et André et Bernard?
4. Je choisis mes amis. Et vous?
5. Nous écoutons notre disque. Et Jean?
6. Angèle et Christine comprennent leur professeur. Et toi?
7. Vous remplissez vos assiettes. Et moi?
8. Michel attend son père. Et ta sœur et toi?
9. L'élève perd son cahier. Et les professeurs?
10. Nous faisons notre lit. Et Bernadette?

D. Ah les familles!

Qui est-ce? Répondez en employant un adjectif possessif.

Exemple
Qui est le frère de ta mère (pour toi)?
C'est mon oncle.

1. Qui est le fils de ta mère (pour toi)?
2. Qui est la fille de ma tante (pour moi)?
3. Qui est la sœur de ta mère (pour ta grand-mère)?
4. Qui est le mari de ta mère (pour ton cousin)?
5. Qui est la sœur de ton père (pour tes frères)?
6. Qui sont les filles de ta tante (pour toi)?
7. Qui est le mari de ma grand-mère (pour moi)?
8. Qui est le frère de ta mère (pour ta sœur et toi)?
9. Qui sont les parents de mes parents (pour mon frère et moi)?
10. Qui est la sœur de ta cousine (pour tes frères)?
11. Qui sont les frères de ma mère (pour mon frère)?
12. Qui sont les sœurs de ton père (pour ta sœur et toi)?

 En garde!

Nicole n'est pas ma sœur, c'est **mon** amie.

Voilà ta blouse blanche mais où est **ton** autre blouse?

Jacques a une auto rouge?
Non, **son** auto est jaune.

In the examples above, when are **mon, ton,** and **son** used instead of **ma, ta, sa?**

Why do you think they are used?

E. Mettez les phrases au singulier.

Exemple
Ce sont tes aspirines.
C'est ton aspirine.

1. Où sont ses assiettes?
2. Mes autos sont petites.
3. Tes autres cousines sont à la maison.
4. Ses enfants sont paresseux.
5. Tes idées sont mauvaises.
6. Mes omelettes sont bonnes.

PROVERBE
Tel père, tel fils.

95

Le présent du verbe **courir**

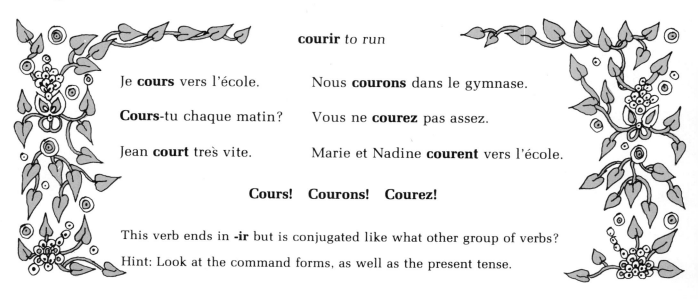

courir *to run*

Je **cours** vers l'école.

Cours-tu chaque matin?

Jean **court** très vite.

Nous **courons** dans le gymnase.

Vous ne **courez** pas assez.

Marie et Nadine **courent** vers l'école.

Cours! Courons! Courez!

This verb ends in **-ir** but is conjugated like what other group of verbs?

Hint: Look at the command forms, as well as the present tense.

Exercice

A. Complétez les phrases suivantes. Employez le verbe **courir.**

Exemple
Je _____ vite.
Je **cours** vite.

1. Nous _____ toujours à sept heures du matin.
2. Vous _____ trop vite.
3. Bill et Guy _____ pour être en bonne santé.
4. Est-ce que tu _____ souvent?
5. Le chien _____ après la bicyclette.
6. Je ne _____ pas pendant le week-end.
7. _____ avec nous, Philippe.

96

Tout le monde court. Ils font du jogging.

Les pronoms accentués

Le samedi chez nous

1. Mon père court; **lui,** il veut être en forme. Et ma mère, **elle,** elle court avec **lui.** « **Vous,** vous courez toujours ! » dit l'homme.

2. Ma sœur joue du piano, et mon autre sœur fait des exercices de piano avec **elle. Elles,** elles adorent la musique.

3. **Moi,** je reste au lit; le samedi est mon jour à **moi.** « **Toi,** tu restes au lit toute la journée ? » demande maman.

4. Le soir, mes parents invitent des amis chez **nous** ou ils vont chez **eux** pour jouer aux cartes.

Observation grammaticale

Moi, je reste au lit.

Toi, tu finis tes devoirs.

Lui, il fait de la gymnastique.

Elle, elle court vite.

Nous, nous sommes fatigués.

Vous, vous êtes paresseux.

Eux, ils jouent aux cartes.

Elles, elles adorent la musique.

Which forms are the same as the subject pronoun?

Exercices

A. Répondez aux questions en suivant l'exemple. Remplacez le(s) mot(s) en caractères gras par un pronom accentué.

Exemple
C'est **Jean** à la porte?
Oui, c'est **lui.**

1. C'est **moi** qui commence?
2. C'est **Mme Bertrand** qui chante?
3. C'est **toi** qui parles?
4. C'est **Josée et toi** sur la photo?
5. C'est **le professeur Moreau?**
6. C'est **Paul et moi** dans le match de tennis?
7. Ce sont **Diane et Michèle** qui courent?
8. C'est **Richard** près de Carole?
9. Ce sont **Michel et Noël** dans l'auto?

B. Complétez les phrases suivantes par un pronom accentué.

Exemple
_____, tu restes ici.
Toi, tu restes ici.

Où est mon petit frère Etienne? _____, nous allons trouver le petit. Marie, _____, tu vas chercher dans la maison. Pierre et Ghislaine, _____, vous allez chercher derrière la maison. Anne et Tina, _____, elles vont courir à l'école. Marcel, _____, il va passer chez les amis d'Etienne. Marc et Jean, _____, ils vont chercher Etienne dans la forêt près de l'école. Et _____, je vais téléphoner à ma grand-mère. Etienne peut être chez _____.

C. Réponds aux questions suivantes. Emploie un pronom accentué si possible.

Exemple
Est-ce que tu étudies beaucoup?
Moi? Non, je n'étudie pas beaucoup /ou
Moi? Oui, j'étudie toujours.

1. Est-ce que tu cours pour rester en forme?
2. Est-ce que ta sœur/ton frère court?
3. Est-ce que tes parents font de la gymnastique?
4. Est-ce que ton père fume?
5. Est-ce que vous êtes en forme, toi et ta famille?
6. Quelle activité dans la classe de gymnastique est-ce que tu préfères?
7. Quelle activité dans cette classe est-ce que ton ami(e) préfère?
8. Qu'est-ce que vous faites après les classes, toi et tes amis?
9. Est-ce que tu finis tes devoirs vite?

D. Qu'est-ce que ta famille fait le samedi?
Fais une interview avec un(e) ami(e) dans la classe.
Voici six questions à poser. Il y a d'autres questions possibles.
Emploie des pronoms accentués dans les réponses si c'est possible.

1. Qu'est-ce que ta mère fait le samedi matin?
2. Qu'est-ce que ton père fait le samedi matin?
3. Et tes sœurs et tes frères?
4. Et toi?
5. Qu'est-ce que ta famille fait le samedi après-midi?
6. Qu'est-ce que ta famille fait le samedi soir?

Le présent du verbe **savoir**

savoir – *to know, to know how*

Je **sais** la réponse.

Sais-tu parler espagnol?

Il **sait** nager.

Elle **sait** parler italien.

Nous **savons** le nom de leur fils.

Savez-vous son adresse?

Ils **savent** jouer aux cartes.

Elles **savent** comment être en forme.

Exercices

A. Complétez les phrases suivantes. Employez le verbe **savoir**.

Exemple
Je _____ la réponse. ⟶ Je **sais** la réponse.

1. Est-ce que Jean _____ la réponse?
2. Nicole et Georgette _____ jouer au tennis.
3. _____ -tu répondre à ces questions?
4. Je _____ où il est.
5. Vous _____ qu'il est malade.
6. Nous ne _____ pas son adresse.
7. Georges veut _____ le nom de ta sœur.

B. Composez une phrase.

Exemple
Nous/savoir/chanter.
Nous savons chanter.

1. Michel/savoir/jouer/de la trompette.
2. Savoir/vous/combien de/élèves/il y a /dans/la classe?
3. Paul et Jacques/savoir/patiner.
4. Tu/savoir/parler/français.
5. Je/savoir/que/il/être/chez lui.
6. Nous/savoir/jouer/au volleyball.
7. Angèle/savoir/le nom/du garçon.

C. Pose les questions suivantes à un(e) ami(e). Il y a des réponses possibles dans la liste de droite.

Exemple
Qu'est-ce que tu sais faire?
Je sais parler portugais.

1. Qu'est-ce que tu sais faire?
2. Qu'est-ce que ta mère sait faire?
3. Qu'est-ce que ton père sait faire?
4. Qu'est-ce que tes ami(e)s savent faire?
5. Qu'est-ce que ta grand-mère sait faire?
6. Toi et tes amis, qu'est-ce que vous savez faire?
7. Qu'est-ce que je sais faire?
8. Qu'est-ce que tu veux savoir faire?

parler portugais
faire la cuisine
jouer du piano
faire de la natation
parler français/ anglais/espagnol
patiner
jouer au baseball
dessiner
perdre du poids
être en bonne santé

Les adjectifs en **-eux**

Surprise! Il y a un test aujourd'hui! Qui est prêt? Qui ne sait pas les réponses?

Henri est **heureux.**

Josée est **anxieuse.**

Alain est **malheureux.**

Claudette est **furieuse.**

Robert est **paresseux.**

Observation grammaticale

singulier

masculin

Ce garçon est heur**eux.**

féminin

Cette fille est heur**euse.**

pluriel

Ces hommes sont heur**eux.**

Ces femmes sont heur**euses.**

How many different forms are there for an adjective that ends in **-eux?**

101

Exercices

A. Choisissez l'adjectif qui convient.

Exemple
heureux/heureuse(s)   Le bébé est _____ .
Le bébé est **heureux**.

1. furieux/furieuse(s)   L'amie de Francine est
   _____ .
2. ennuyeux/ennuyeuse(s)   Je n'aime pas ces
   exercices. Ils sont _____ .
3. joyeux/joyeuse(s)   Elle est _____ parce
   qu'elle maigrit.
4. furieux/furieuse(s)   Oh-là-là! mon père va
   être _____ .
5. paresseux/paresseuse(s)   Ces filles sont
   terriblement _____ .
6. merveilleux/merveilleuse(s)   Merci bien, ces
   cadeaux sont _____ .
7. malheureux/malheureuse(s)   Cette femme
   est _____ .

B. Répondez aux questions. Employez le même
adjectif.

Exemple
La femme est très heureuse. Et son mari?
Son mari est très heureux aussi.

1. Marcel est très paresseux. Et les sœurs de
   Marcel?
2. L'enfant est malade. Sa mère est anxieuse. Et
   son père?
3. La note d'Albert est mauvaise. Il est
   malheureux. Et son amie Ghislaine?
4. Mon bulletin est mauvais. Ma mère est
   furieuse. Et les professeurs?
5. Les gâteaux sont délicieux. Et les tartes?
6. Cette surprise est merveilleuse. Et le cadeau?
7. Ses parents sont joyeux. Et sa grand-mère?
8. Jacqueline sait les réponses. Elle est heureuse.
   Et son professeur?

C. Quand es-tu heureux (heureuse)? Voici quinze
situations. Travaille avec un(e) ami(e). Choisis
parmi les questions et les réponses données. Tu
peux ajouter d'autres réponses.

Exemple
Quand es-tu anxieux (anxieuse)?
Quand je fais de la natation, je suis anxieux
(anxieuse).

Questions
1. Quand es-tu heureux (heureuse)?
2. Quand es-tu malheureux (malheureuse)?
3. Quand es-tu anxieux (anxieuse)?
4. Quand es-tu furieux (furieuse)?
5. Quand es-tu indifférent (indifférente)?

Réponses possibles
a) Quand je finis mes devoirs,
b) Quand je dépense de l'argent,
c) Quand je prends du poids,
d) Quand je perds du poids,
e) Quand j'étudie,
f) Quand j'ai un examen,
g) Quand je suis à l'école,
h) Quand je réponds à une question,
i) Quand je fais de la gymnastique,
j) Quand je suis chez le médecin,
k) Quand je suis en vacances,
l) Quand je mange beaucoup,
m) Quand je fais la vaisselle,
n) Quand je suis avec mon frère (ma sœur),
o) Quand je fais de la natation,

Les adjectifs et les noms de nationalité

Les chiens du monde

le danois, chien **danois**

le barzoi, chien **russe**

le chow-chow, chien **chinois**

le berger allemand, chien **allemand**

le saint-bernard, chien **suisse**

le lévrier italien, chien **italien**

le caniche, chien **français**

le setter irlandais, chien **irlandais**

le terrier du Yorkshire, chien **anglais**

le terre-neuve, chien **canadien**

le cocker américain, chien **américain**

le colley, chien **écossais**

103

Observation grammaticale

Ce garçon est **danois**.	C'est un **Danois**.
Cette fille est **danoise**.	C'est une **Danoise**.
Ce garçon est **français**.	C'est un **Français**.
Cette fille est **française**.	C'est une **Française**.
Ce garçon est **canadien**.	C'est un **Canadien**.
Cette fille est **canadienne**.	C'est une **Canadienne**.

Adjectives of nationality are not capitalized in French.

Exercices

A. Quelle est la nationalité de la personne?

Exemple
Arthur est de Frédéricton au Canada.
Il est canadien.

1. Mario est de Rome en Italie. Il est
   _____ .
2. Molly est de Dublin en Irlande. Elle est
   _____ .
3. Natalya est de Moscou en Russie. Elle est
   _____ .
4. Fritz est de Bonn en Allemagne. Il est
   _____ .
5. Sylvia est de New York aux Etats-Unis. Elle
   est _____ .
6. Monique est de Montréal au Canada. Elle est
   _____ .
7. Sandy est de Glasgow en Ecosse. Il est
   _____ .

8. Emilie est de Berne en Suisse. Elle est
   _____ .
9. Ann est de Londres en Angleterre. Elle est
   _____ .
10. Mei Ling est de Pékin en Chine. Elle est
    _____ .
11. Leif est de Copenhague au Danemark. Il est
    _____ .
12. Pierre est de Marseille en France. Il est
    _____ .

B. Trouvez les noms de nationalité.

Exemple
Voilà Borge de Copenhague au Danemark.
C'est un Danois.

1. Voilà Patrick de Dublin en Irlande.
2. Voilà Thérèse de Paris en France.
3. Voilà Steven de Manchester en Angleterre.
4. Voilà Jean-Luc de Trois-Rivières au Canada.
5. Voilà Antonia de Rome en Italie.

104

6. Voilà Christina de Copenhague au Danemark.
7. Voilà Ulrika de Berlin en Allemagne.
8. Voilà Mary de Glasgow en Ecosse.
9. Voilà Rick de Washington aux Etats-Unis.
10. Voilà Ka-Shing de Pékin en Chine.
11. Voilà Fritz de Zurich en Suisse.
12. Voilà Boris de Moscou en Russie.

C. Réponds aux questions suivantes.

1. As-tu un chien? Est-ce un chien commun ou est-il comme un chien de l'image à la page 103? Quel chien?
2. Quel chien (dans l'image) aimes-tu?
3. As-tu un chat? Est-ce un chat commun, un persan, un chat tigré ou un siamois?
4. Quel chat aimes-tu?
5. De quelle nationalité es-tu?
6. De quelle nationalité sont tes parents?
7. De quelle nationalité sont tes grands-parents?
8. Tu préfères la nourriture de quel pays?

Une gymnaste

📖 POUR BIEN LIRE

When you read a passage for the first time, you can often anticipate what will come next or what words are needed to complete a sentence or thought properly. Read the following passage and supply the words that are missing. Check the words listed below when you are finished to see if you were on the right track.

Il y a trois enfants dans ma famille et nous avons chacun une personnalité différente. Mon frère Georges est sportif. Il _____ , il court et il joue au _____ . Il est fort et en bonne_____ . Ma sœur est paresseuse. Elle n'_____ pas en forme mais elle est _____ . Elle adore l'école et elle _____ souvent. Mon frère Sébastien est musicien. _____ joue du piano et de l'_____ . Il chante bien mais il ne _____ pas danser. Et moi? J'adore _____ baseball mais je déteste le hockey. _____ adore étudier la géographie mais je _____ l'école. Je danse bien mais _____ ne peux pas jouer d'un _____ de musique. Est-ce qu'il _____ a souvent les disputes à la _____ ? Toujours, mais au moins les disputes _____ toujours intéressantes et variées.

sont/maison/y/déteste/je/j'/le/orgue/il/sait/est/ intelligente/étudie/hockey/santé/nage/instrument

105

⬚ LECTURE

Rentre le ventre!

«Rentre le ventre! Fais attention à ta ligne! Combien pèses-tu maintenant? Ne mange pas ça! C'est de la nourriture qui fait grossir.» Aujourd'hui, tout le monde veut maigrir.

Mes parents, par exemple. Ils savent que l'obésité cause souvent des
5 maladies graves et ils sont anxieux. Ils font n'importe quoi pour perdre du poids et ils sont très malheureux s'ils ne réussissent pas. Ils courent. Ils font des exercices. Ils font de la bicyclette. Ils ne fument pas. Ils suivent toujours un régime.

Mais moi, Christine, j'ai un autre problème. Je suis maigre comme un
10 clou et je veux grossir. Mes hanches et mes cuisses sont terriblement minces et j'ai déjà le ventre plat. J'adore faire des exercices. Je cours trois kilomètres par jour et je fais deux heures de gymnastique. Je fais de la natation et je prends ensuite une douche froide. Je rentre à la maison affamée!

15 Ah oui, j'adore la nourriture aussi. Je mange toujours et beaucoup. Je suis gourmande. A chaque repas, je remplis mon assiette et mon ventre. Je mange du pain frais et délicieux. Je mange de la viande aux sauces merveilleuses. J'adore les pommes de terre, les gâteaux et les beignes. Je mets du chocolat suisse dans mon lait mais je ne réussis pas à prendre du
20 poids. Je maigris quand même.

Et je suis grande! Je mesure déjà 170 cm et je grandis encore. Mon ami Ferland est gentil, mais petit. Il mesure 150 cm. Je rougis toujours quand je danse avec lui. C'est vrai que tous les mannequins célèbres sont grands et minces, mais pas comme moi. Je suis à peine visible!

25 Vous suggérez: Choisissez donc un régime pour grossir! C'est une bonne idée mais il n'y a pas beaucoup de régimes comme ça sur le marché canadien.

Je ne comprends pas pourquoi une fille qui mange comme moi ne peut pas prendre de poids. Mais au moins je suis en forme et en bonne santé.
30 C'est ça qui compte.

Rentre le ventre! *Pull in your stomach!*

ta ligne *your figure*

qui fait grossir *that is fattening*

tout le monde *everyone.*

n'importe quoi *anything, it doesn't matter what*

Ils suivent toujours un régime *They are always on a diet*

affamée *starving*

gourmande *glutton*

les mannequins célèbres *famous models*

Compréhension

A. Répondez aux questions suivantes selon le texte. Choisissez une des réponses données.

1. Aujourd'hui tout le monde veut
   a) grossir.
   b) grandir.
   c) maigrir.
2. Les parents de Christine sont anxieux
   a) parce que leur fille pèse trop.
   b) parce qu'ils ont des maladies graves.
   c) parce qu'ils savent que l'obésité est mauvaise pour la santé et ils veulent maigrir.
3. Pour perdre du poids, les parents de Christine
   a) fument.
   b) font des exercices et suivent un régime.
   c) ne prennent pas de petit déjeuner.
4. Christine veut
   a) perdre du poids.
   b) avoir le ventre plat.
   c) faire grossir ses hanches et ses cuisses.
5. Christine est souvent malheureuse
   a) parce qu'elle est en forme.
   b) parce qu'elle est grande et maigre.
   c) parce qu'elle est en bonne santé.
6. Christine
   a) ne mange pas beaucoup.
   b) ne court pas.
   c) ne suit pas de régime.
7. Christine adore
   a) faire des exercices.
   b) danser avec son ami Ferland.
   c) prendre une douche.
8. Christine mange souvent
   a) des aliments qui font grossir.
   b) des aliments qui font maigrir.
   c) des aliments qui sont bons pour la santé.

9. Christine rougit quand elle est avec son ami Ferland
   a) parce qu'il est gros.
   b) parce qu'il est gentil.
   c) parce qu'il est petit.
10. Christine ne choisit pas de régime pour grossir
   a) parce qu'elle pèse trop.
   b) parce qu'elle n'aime pas les régimes.
   c) parce qu'il n'y a pas beaucoup de régimes comme ça sur le marché.

B. Une des réponses données à chaque question n'est pas correcte. Laquelle?

1. Qu'est-ce que les parents de Christine font pour perdre du poids?
   a) Ils courent.
   b) Ils font de la bicyclette.
   c) Ils suivent des régimes pour grossir.
2. Qu'est-ce que Christine fait chaque jour?
   a) Elle court trois kilomètres.
   b) Elle fait deux heures de gymnastique.
   c) Elle prend une douche chaude et ensuite elle fait de la natation.
3. Qu'est-ce que Christine mange souvent?
   a) Elle mange de la viande et du pain.
   b) Elle mange du pop-corn.
   c) Elle mange des beignes et des pommes de terre.
4. Quand est-ce que Christine mange?
   a) Après les exercices.
   b) A chaque repas.
   c) En classe.
5. Qu'est-ce qui compte surtout pour Christine?
   a) Elle veut être en bonne santé.
   b) Elle veut être en forme.
   c) Elle veut trouver un ami qui est fort, grand et beau.

Le fouinard

A. Réponds aux questions suivantes.
1. Fais-tu attention à ta ligne?
2. Combien pèses-tu maintenant?
3. Combien mesures-tu maintenant?
4. Veux-tu grandir? grossir? maigrir?
5. Quels exercices fais-tu?
6. Fumes-tu? Est-ce que tu fumes beaucoup?
7. Rougis-tu facilement? Quand est-ce que tu rougis?
8. Perds-tu du poids facilement? Est-ce que tu perds du poids en été ou en hiver?
9. Qu'est-ce que tu aimes manger?
10. Aimes-tu prendre une douche froide? Est-ce que tu aimes prendre une douche le matin ou le soir?

B. Qu'est-ce que tu vas faire si:
1. tu veux maigrir?
2. tu veux être en forme?
3. tu veux grossir?
4. tu as chaud?
5. tu es sale?
6. tu es malheureux (malheureuse)?

A ton avis

A. Es-tu d'accord avec les phrases suivantes? Réponds **Je suis d'accord** ou **Je ne suis pas d'accord.**

1. Entre 10 ans et 14 ans, les jeunes prennent souvent du poids même s'ils ne mangent pas beaucoup. D'habitude, ils maigrissent naturellement plus tard.
2. Les athlètes mangent souvent du chocolat parce que le chocolat est une bonne source d'énergie.
3. L'obésité est une maladie.

109

4. D'habitude, les Canadiens sont en forme et en bonne santé.
5. D'habitude, on grossit parce qu'on mange trop et on ne fait pas assez souvent d'exercices.
6. Il n'est pas important de prendre le déjeuner.
7. Si tu fais des exercices une fois par semaine, tu vas maigrir facilement.
8. D'habitude, il est plus facile de grossir que de maigrir.
9. Les femmes prennent du poids plus facilement que les hommes.
10. Si tu ne veux pas grossir, fume!
11. Aujourd'hui, les jeunes pensent trop à leur apparence physique.
12. Ce n'est pas la personnalité qui compte, c'est la beauté.
13. Les jeunes n'ont pas besoin de faire des exercices.
14. D'habitude, les hommes sont plus forts et plus grands que les femmes.
15. Si on est gros à 12 ans, on va être gros toute sa vie.

B. Quel aliment a le plus grand nombre de calories?
a) le lait ou le lait au chocolat?
b) une banane ou un gâteau aux bananes?
c) une tarte aux pommes ou une pomme?
d) du rosbif ou du poisson?
e) du pop-corn ou des croustilles?

C. Les aliments suivants ont presque le même nombre de calories. Mais si tu veux bien manger et rester en forme, quel aliment vas-tu choisir?

a) un jus d'orange ou un coke?
b) des croustilles ou des arachides?
c) des céréales granola ou des toasts?
d) de la crème glacée ou un bonbon?
e) du beurre ou de la margarine?

A faire et à discuter

1. a) D'habitude, les aliments sont divisés en quatre catégories.
Quelles sont ces catégories? Remplacez les tirets.
1. le lait et les produits laitiers
2. la _____, le poisson et la volaille (poultry)
3. les _____ et les légumes
4. le _____, les céréales et les pâtes (pasta)
b) Préparez le menu pour le déjeuner, le dîner et le souper. N'oubliez pas de manger des aliments de chaque catégorie.

2. Nommez des sportifs (sportives) canadiens (canadiennes) qui sont célèbres dans le domaine:
a) de la natation.
b) du ski.
c) de la gymnastique.
d) du hockey.
e) du baseball.
f) du patinage.

La fille joue au baseball

110

POT-POURRI

A. Composition orale

1 **L'ange tombé**

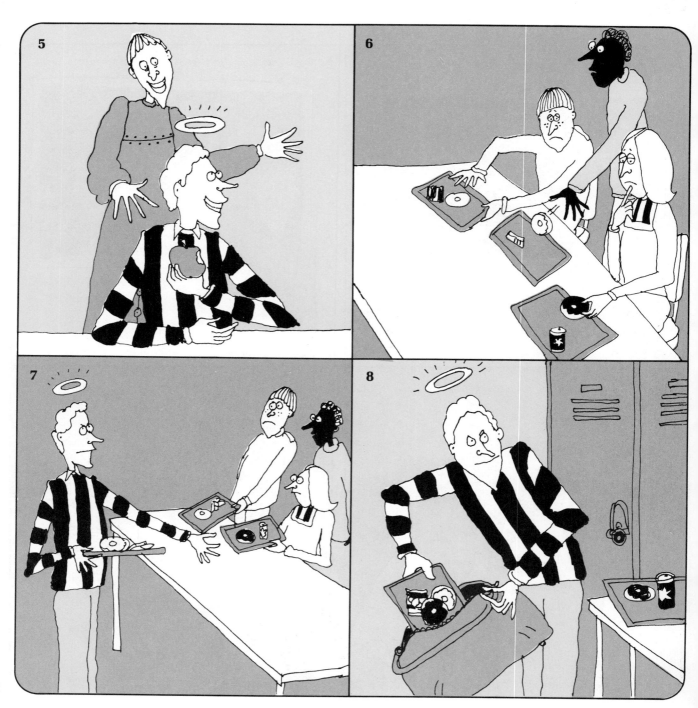

B. Qui est cosmopolite?

Pose les questions suivantes et réponds-y avec un adjectif de nationalité. Travaille avec un(e) ami(e). Voici quelques adjectifs que tu peux utiliser dans tes réponses:

allemand/américain/anglais/canadien/chinois/français/italien/russe

Exemple
Demande à un(e) ami(e) quel genre de cuisine il(elle) aime.

Elève 1: Quel genre de cuisine aimes-tu?
Elève 2: J'aime la cuisine française.

1. Demande à un(e) ami(e) quel genre de cuisine
   a) il(elle) aime.
   b) sa mère aime.
   c) son père aime.
   d) ses ami(e)s aiment.
2. Demande à un(e) ami(e) quel genre de films
   a) il(elle) aime.
   b) ses parents aiment.
   c) ses ami(e)s aiment.
   d) ses cousins(cousines) aiment.
3. Demande à un(e) ami(e) quel genre de musique
   a) il(elle) aime.
   b) sa mère aime.
   c) son père aime.
   d) ses ami(e)s aiment.
4. Demande à un(e) ami(e) quels acteurs et quelles actrices
   a) il(elle) aime.
   b) son père aime.
   c) sa mère aime.
   d) ses ami(e)s aiment.

113

C. Réponds à ces questions personnelles. Choisis parmi les réponses possibles de la colonne de droite. Fais ton choix en utilisant, selon le cas, le pronom accentué et l'adjectif possessif.

Exemples
Qu'est-ce que l'enfant aime?
Lui? Il aime sa nourriture.

Qui est-ce que l'enfant aime?
Lui? Il aime son père.

1. Toi, qu'est-ce que tu aimes?	l'ami
	l'amie
2. Qu'est-ce que ton frère/ta sœur aime?	l'argent
	l'auto
3. Qu'est-ce que ton professeur aime?	le chien
	le chat
4. Qu'est-ce que ta mère aime?	l'enfant/les enfants
5. Qu'est-ce que ton père aime?	les exercices
	les examens
6. Qu'est-ce que tes parents aiment?	la femme
	les livres
7. Qu'est-ce que ton ami(e) aime?	le mari
	le médecin
8. Qui est-ce que tu aimes, toi?	la mère
	la nourriture
9. Qui est-ce que ta mère aime?	le père
10. Qui est-ce que ton père aime?	le régime
11. Qui est-ce que tes parents aiment?	
12. Qui est-ce que ton ami(e) aime?	

D. Réponds à ces questions personnelles. Choisis parmi les réponses données. Il y a plusieurs réponses possibles.

Exemple
Quand es-tu content(e) de toi?
Quand je suis en forme, je suis content(e) de moi.

Questions
1. Quand es-tu content(e) de toi?
2. Quand est-ce que ta mère est contente de toi?
3. Quand est-ce que ton père est content de toi?
4. Quand est-ce que ton professeur est content de toi?
5. Quand es-tu content(e) de ta mère? (Je suis content(e) d'elle...)
6. Quand es-tu content(e) de ton père? (Je suis content(e) de lui...)

Réponses possibles
réussir aux examens
être en bonne santé
obéir à mes parents/à mon professeur
maigrir
grossir
finir les devoirs
trouver un(e) ami(e)
apprendre la leçon
savoir les réponses
faire la cuisine
être heureux (heureuse)
travailler avec moi/lui/elle
être en forme
être avec moi
acheter _____?

ENRICHISSEMENT

A. Dialogue

(Au restaurant **L'Escargot bleu** à Québec)

Le garçon: Bonsoir, monsieur, madame. Vous avez une réservation?

M. Larocque: Bien sûr. Pour les Larocque. La table au coin, est-elle libre?

Le garçon: Oui, suivez-moi. (On va à la table du coin) Vous voulez un apéritif avant le dîner?

M. Larocque: Non merci, mais une bouteille de Beaujolais avec le dîner, s'il vous plaît.

Le garçon: Très bien, monsieur; voici le menu. (Quelques minutes plus tard) Vous voulez commander maintenant?

M. Larocque: Oui, nous sommes prêts.

Le garçon: Pour vous, madame?

Mme Larocque: Je prends une soupe à l'oignon, une salade verte et le coq au vin, s'il vous plaît.

M. Larocque: Des escargots, une salade aux tomates et le bœuf bourguignon, s'il vous plaît.

(plus tard)

Le garçon: Comment trouvez-vous le repas?

Mme Larocque: Très bon. C'est délicieux!

Le garçon: Vous prenez un dessert? Un café?

Mme Larocque: Pas de dessert pour moi. Un café seulement.

M. Larocque: Moi aussi, je prends un café.

Le garçon: Merci, madame, monsieur.

B. A visit to Quebec would not be complete without sampling some of these traditional Québécois dishes.

une tourtière: a spicy meat pie usually made with veal, chicken or pork and small, diced potatoes. **La tourtière** is traditionally served at **le Réveillon** Supper following midnight mass on Christmas Eve. Originally, hare, venison or partridge were used to make this dish and in some regions of Quebec a **tourtière** made from these original and authentic ingredients can still be found.

une six-pâte (cipaille): a meat and potatoe pie similar to **la tourtière,** but this dish has six layers of crust.

la soupe aux pois: pea soup – a rich broth made from dried peas simmered slowly with a piece of pork or ham bone.

les fèves au lard: pork and beans, simmered slowly in the oven and frequently enriched with molasses, mustard or maple syrup.

le ragoût: French Canadian stew at its best, made with beef, vegetables, spices and herbs. Or try **le ragoût de pattes de cochons** – stew of pork hocks. A thick, dark brown gravy made with browned flour is basic to this traditional French Canadian dish.

une tarte au sucre: a sugar pie that will shock even the sweetest tooth.

Aimez-vous faire la cuisine? Essayez cette recette pour faire une tarte au sirop d'érable.

Tarte au sirop d'érable

Ingrédients

2 oeufs

250 ml de cassonade

du sel

10 ml de vinaigre

125 ml de sirop d'érable

90 ml de beurre

une pâte à tarte

Méthode

Mélangez les oeufs, le sucre, le sel, le vinaigre et le sirop d'érable dans un bol. Ajoutez le beurre. Remplissez la pâte à tarte. Faites cuire la tarte à 190° C pendant 40 min.

VOCABULAIRE ACTIF

Noms (masculin)

le beigne	le médecin	le ventre
le fils	le régime	

Noms (féminin)

la cuisse	la hanche	la taille
la douche		

Verbes

bondir	grandir	peser (je pèse)
choisir	grossir	remplir
compter	maigrir	réussir (à)
courir	mesurer	rougir
finir	obéir (à)	savoir
fumer		

Adjectifs

anxieux, anxieuse	anglais, -e
délicieux, délicieuse	canadien, -ne
frais, fraîche	chinois, -e
furieux, furieuse	danois, -e
heureux, heureuse	écossais, -e
maigre	irlandais, -e
malheureux, malheureuse	italien, -ne
plat, -e	russe
allemand, -e	suisse
américain, -e	

Adverbes

à peine	terriblement

Expressions

être en bonne santé	par jour
être en forme	perdre du poids
faire de la gymnastique	prendre du poids
faire de la natation	réussir à un examen

UNITÉ 5

◎ OBJECTIVES

How would you like to be able to:
- talk about the type of vacation you like to have;
- talk about what happiness is for you and others;
- say what you like to and can do;
- discuss where you like to live;
- express your opinions on the French language and why you are studying it?

118

VOCABULAIRE

1. Quelle **aventure!** Ils **chassent** des bêtes **sauvages** dans la jungle.

2. Jeff et Debbie **louent** une **camionnette.** Ils vont faire du camping dans les montagnes.

3. C'est la **nuit.** Jérôme dort dans un **coin.** Il **rêve** qu'il gagne une **course** importante.

4. Ottawa est une **ville bilingue.** On y parle deux **langues:** le français et l'anglais.

Welcome to Ottawa

Bienvenue à Ottawa

119

5. Quel **bonheur!** Nous **faisons un pique-nique** sur une **île** exotique.

6. Sais-tu le **nom** de l'**église** au **centre** de Paris? C'est Notre-Dame de Paris.

7. Les touristes **font le tour** du Louvre. Le Louvre? C'est un **musée** célèbre à Paris.

8. Il fait toujours beau ici. Il y a un **marché en plein air** chaque jour de **l'année.**

120

9. La famille prend un **apéritif** à cinq heures. Chaque membre de la famille choisit quelque chose de différent. **Chacun à son goût!**

10. — Voici une **carte** de l'Afrique. Tu veux **voyager** avec moi, **chérie?**
— **Peut-être.**

11. Quelle décision **difficile!** Marc veut visiter le **zoo.** Thérèse préfère **faire de la voile.**

Exercices

A. Répondez aux questions suivantes.

1. Qu'est-ce que ces personnes font dans la jungle?
   Est-ce qu'une aventure est intéressante ou ennuyante?
2. Est-ce que Jeff et Debbie achètent cette camionnette?
   Où est-ce qu'ils vont passer leurs vacances?
3. Où est Jérôme et qu'est-ce qu'il fait?
   Est-ce que c'est l'après-midi?
   Pourquoi est-il content?
4. Est-ce qu'Ottawa est une province?
   Qu'est-ce que c'est que le français?
   Si on est bilingue, combien de langues parle-t-on?
5. Décrivez cette île.
   Que font les personnes sur cette île?
   Qu'est-ce que c'est que le bonheur pour ces personnes?
6. Qu'est-ce que c'est que Notre-Dame?
   Où trouvez-vous cette église?
7. Que font ces touristes?
   Qu'est-ce que c'est que le Louvre?
8. Est-ce que c'est un supermarché?
   Quand est-ce qu'il fait beau ici?
   Combien de jours y a-t-il dans une année?
9. Est-ce que cette famille prend un repas?
   Prend-on un apéritif avant ou après un repas?
   Est-ce que tous les membres de la famille ont le même goût?
10. Est-ce que c'est une carte du Québec?
    Qu'est-ce que l'homme demande à la femme?
    Répond-elle oui ou non?
11. Qu'est-ce que Marc veut faire?
    Est-ce que Thérèse est d'accord avec lui?
    Pourquoi est-ce que c'est une décision difficile?

B. Trouvez les réponses dans le nouveau vocabulaire.

1. Donnez un mot de la même famille que les mots suivants:

heureux	le camion	la difficulté
l'an	le voyage	courir

2. Donnez les mots qui ressemblent beaucoup aux mots anglais suivants:

adventure	bilingual	picnic
language	isle	savage
center	museum	zoo

Les Alpes en Suisse

122

C. Complétez les phrases suivantes. Trouvez les réponses dans le nouveau vocabulaire.

1. Qu'il fait beau aujourd'hui! Faisons de la _____ sur le lac!
2. «Sylvie, tu parles trop! Va dans le _____ !»
3. Michel va épouser Anne dans une _____ catholique.
4. Je ne peux pas trouver la ville de Chicoutimi. As-tu une _____ du Québec?
5. Nos visiteurs font le _____ des musées cet après-midi.

6. L'enfant pose toujours des questions à sa mère. Elle répond toujours «Oui, _____ . Non, _____ .»
7. «Voulez-vous un _____ avant le dîner?» «Merci, je n'ai pas soif.»
8. Mon oncle et ma tante n'ont pas de maison. Ils _____ un appartement.
9. «Quel est le _____ de ton chien?» «Il s'appelle Hannibal.»
10. Toronto, Vancouver et Montréal sont trois _____ importantes au Canada.
11. Il fait très chaud ce soir. Nous allons prendre le souper _____ _____ _____ dans le jardin.
12. Admirez-vous les personnes qui _____ les bêtes sauvages?
13. «Est-ce que tu _____ souvent?» «Non, je dors toujours tranquillement.»
14. *Le jour* est le contraire de la _____ .

D. Réponds à ces questions personnelles.

1. Y a-t-il un zoo dans ta ville? Un musée? Un marché?
2. Quel membre de ta famille est bilingue? Quelles langues parle-t-il (elle)?
3. Quelles langues parles-tu? Et tes parents? Et tes grands-parents?
4. Qu'est-ce qu'il y a dans le coin de cette salle de classe?
5. Tes parents, prennent-ils un apéritif avant le souper?
6. Quel est ton nom de famille?
7. Qui est-ce que tu appelles «chéri(e)»?
8. Quelle(s) matière(s) trouves-tu difficile(s)?
9. Fais-tu de la voile en été? Avec qui?
10. Rêves-tu souvent la nuit? Rêves-tu souvent en classe?

123

 STRUCTURES

Les expressions négatives

L'élève modèle

a) Elle **ne** rêve **jamais** en classe.

b) Elle **ne** mange **rien** en classe.

c) Elle **n'**écoute **personne** en classe.

d) Elle **n'**a **plus** d'amis dans la classe.

124

Observation grammaticale

Il **ne** prend **jamais** de café.

Elle **n'**achète **rien.**

Il **n'**aime **personne.**

Elle **ne** fume **plus.**

How many words do we add to make a statement negative?

Where do we place the negative words?

What happens to **ne** if the verb starts with a vowel?

Exercices

A. Choisissez l'expression qui convient pour compléter chaque phrase.

Exemple
(jamais/personne)   Je ne parle _____ à Marie Simard.
Je ne parle **jamais** à Marie Simard.

1. (personne/rien)   Je n'achète _____ au magasin.
2. (jamais/personne)   Nous ne visitons _____ notre grand-père.
3. (personne/plus)   Maintenant, je suis fatigué. Je n'étudie _____ ce soir.
4. (jamais/personne)   Je ne rentre pas cet après-midi. Il n'y a _____ à la maison.
5. (jamais/rien)   Mon chien ne nage _____ . Il a peur de l'eau.
6. (personne/plus)   Cet homme n'a pas d'amis. Il n'aime _____ .

7. (plus/rien)   Je veux maigrir. Alors, je ne mange _____ de desserts.
8. (personne/rien)   Je ne suis pas occupé demain soir. Je ne fais _____ .

B. Mettez dans la phrase l'expression négative proposée.

Exemple
(ne . . . jamais)   Nous chantons.
Nous **ne** chantons **jamais.**

1. (ne. . .rien)   Le malade mange.
2. (ne. . .plus)   Les chiens courent dans la rue.
3. (ne. . .jamais)   Je fais le ménage chez nous.
4. (n'. . .personne)   Ce professeur écoute.
5. (ne. . .rien)   L'enfant boit.
6. (ne. . .jamais)   Ces filles jouent au hockey.
7. (n'. . .plus)   On apprend le latin à l'école.
8. (ne. . .personne)   Le directeur cherche dans cette classe.

C. Donnez une réponse négative à chaque question. Remplacez les mots en caractères gras par une des expressions négatives suivantes: **ne/n' . . .jamais, ne/n' . . .personne, ne/n' . . . plus, ne/n' . . .rien.**

Exemple
Cette élève sait **toutes les réponses?**
Non, elle **ne** sait **rien.**

1. Le professeur cherche **Sandra?**
2. Les élèves regardent **le tableau?**
3. Le bébé pleure **maintenant?**
4. Cette fille travaille **toujours?**
5. Tu manges **un biscuit?**
6. Tes amis écoutent **leurs parents?**
7. Ton frère étudie **tout le temps?**
8. Ton père est fatigué **aujourd'hui?**

125

126　*Notre-Dame de Paris*

En garde!

Je mange **des** beignes.
Je **ne** mange **plus de** beignes.

Je bois **de l'**eau.
Je **ne** bois **jamais** d'eau.

Je prends **un** taxi.
Je **ne** prends **jamais de** taxi.

How do the sentences above change
when they become negative?

D. Répondez aux questions en utilisant les mots
entre parenthèses.

Exemple
Elle met **du** sucre dans son café? (jamais)
Non, elle **ne** met **jamais de** sucre dans son café.

1. Mon ami achète **un** disque? (plus)
2. On vend **de la** crème glacée ici? (jamais)
3. Ce garçon a **des** amis? (pas)
4. Elle remplit **une** formule? (jamais)
5. Serge a **de l'**argent? (plus)
6. Ils choisissent **du** gâteau au chocolat? (jamais)

E. Pose les questions suivantes aux autres élèves de
la classe.

Exemple
Elève 1: Qu'est-ce que tu ne manges jamais?
Elève 2: Je ne mange jamais de navets.

1. Qu'est-ce que tu ne manges jamais?
2. Quand est-ce que tu n'aimes personne?
3. Qu'est-ce que tu ne fais plus?

4. Quand n'achètes-tu rien?
5. Quelle couleur est-ce que tu ne portes
jamais?
6. Quand est-ce que tu ne manges rien?
7. Quel groupe pop est-ce que tu n'aimes plus?
8. En quelle matière n'as-tu jamais de bonne
note?
9. Quelle émission de télé est-ce que tu ne
regardes jamais?
10. Quand est-ce que tu ne portes rien?

Ô Canada, our national anthem, was originally
written in French. It was commissioned in
1880 for the official visit to Quebec of the
Governor General, the Marquess of Lorne, and
Her Royal Highness Princess Louise. C.
Lavallée wrote the music and Sir Adolphe
Basile Routhier wrote the words. It was not
translated into English until much later — in
1908 by R. Stanley Weir.

127

Les pronoms compléments d'object direct **le, la, l', les**

Le petit gourmet

a) Le lait? Je **le** déteste.
Le champagne? Je **l'**adore.

b) La nourriture pour chat?
Je **la** déteste.
La crème glacée? Je **l'**adore.

c) Les souris? Je **les** déteste.
Les chocolats? Je **les** adore.

👉 **Observation grammaticale**

singulier

masculin

Le lait? Je **le** déteste.

Le champagne? Je **l'**adore.

féminin

La nourriture pour chat? Je **la** déteste.

La crème glacée? Je **l'**adore.

pluriel

Les souris? Je **les** déteste.

Les chocolats? Je **les** adore.

Exercices

A. Prononcez bien!
1. Ces chemises? Vous les achetez?
2. Le baseball? Elle l'adore.
3. Les autobus? On les attend toujours?
4. Le pique-nique? C'est mon père qui l'organise.
5. Mon numéro de téléphone? Je l'oublie toujours!
6. La clé? C'est Paul qui l'a.
7. Ces disques? Nous les écoutons.

B. Complétez les phrases suivantes avec **le, la, l'** ou **les.**

Exemple
Ces parents cherchent **le médecin.** Ils _____ trouvent à l'hôpital.

Ces parents cherchent le médecin. Ils **le** trouvent à l'hôpital.

1. Pourquoi regarde-t-il **cette camionnette?** Il _____ loue.
2. Aimes-tu **cette chanson?** Non, je _____ déteste.
3. Visitent-ils **le musée d'art moderne** avec Cécile? Non, ils _____ visitent avec Tante Lucie.
4. Aimez-vous **mon jardin?** Oui, je _____ aime beaucoup.
5. Visitez-vous **la ville de Victoria** en été? Non, nous _____ visitons au mois de novembre.
6. Attends-tu **le train** ici? Non, je _____ attends à la gare.
7. Passent-ils **cette année** sur une île exotique? Non, ils _____ passent à Yellowknife.
8. Ton cousin, gagne-t-il souvent **cette course?** Oui, il _____ gagne chaque année.
9. Parlez-vous **cette langue** à la maison? Non, je _____ parle seulement avec mes grands-parents.
10. Apprenez-vous **le français?** Oui, nous _____ apprenons à l'école.

C. Répondez à la question en employant **le, la, l'** ou **les.**

Exemple
Tu cherches **le livre bleu?**
Oui, je **le** cherche.

1. Ta mère aime **l'aventure?**
2. Jean prend **l'auto rouge?**
3. Les enfants apprennent **le français?**
4. Les touristes regardent **le monument?**
5. Jean-Louis achète **la camionnette?**
6. Les hommes chassent **les lions?**
7. Les Américains visitent **la ville?**
8. Tu entends **le téléphone?**
9. Sylvie a **la carte?**
10. Le groupe chante **la chanson?**

D. Qu'est-ce que c'est? Choisissez votre réponse parmi les mots suivants.

le chocolat	la salade	les bonbons
le lait	la soupe	les œufs
le pain	la tarte	les sandwichs

Exemple
On **la** mange avec une cuiller.
On mange **la soupe** avec une cuiller.

1. Les enfants les adorent.
2. Nous le mangeons toujours avec du beurre.
3. On les vend à la ferme.
4. On la mange comme dessert.
5. Tu la manges pour maigrir.
6. On les mange quand on fait un pique-nique.
7. On le boit dans un verre.
8. C'est délicieux! Tout le monde l'adore.

129

E. Réponds aux questions suivantes en employant un pronom complément d'objet direct: **le, la, l'** ou **les.**

Exemple
Quand regardes-tu **la télé?**
Je **la** regarde chaque soir à huit heures.

1. Quand regardes-tu **la télé?**
2. Où achètes-tu **tes vêtements?**
3. Avec qui fais-tu **tes devoirs?**
4. A quelle heure prends-tu **le déjeuner?**
5. Pourquoi admires-tu **tes parents?**
6. Quand écoutes-tu **ton professeur?**
7. Où mets-tu **tes livres** quand tu rentres après les classes?
8. Où passes-tu **le mois de juillet?**
9. Pourquoi étudies-tu **la langue française?**
10. Quand fais-tu **ton lit?**

F. Dis ce que tu peux faire de chaque chose mentionnée.

Exemple
le français
Le français? Je **le** parle.

1. la radio
2. la soupe
3. la télé
4. les vêtements
5. l'autobus
6. les bananes
7. le musée
8. la chanson «Ô Canada»
9. les matières
10. le professeur

 En garde!

Ce chapeau? Je l'achète.

Ce pantalon? Je **ne** l'achète **pas**.

L'anglais? Nous le parlons.

L'italien? Nous **ne** le parlons **jamais.**

When a sentence in the present tense with a direct object pronoun is negative, where does the **ne** come?

And the second part of the negative expression?

G. Remplacez les mots en caractères gras par un pronom complément d'objet direct.

Exemple
La chanteuse ne chante jamais **cette chanson**.
La chanteuse ne **la** chante jamais.

1. Le fermier ne compte pas **les poules**.
2. Nous ne cherchons plus **le bonheur**.
3. Les enfants n'aiment pas **la cuisine française**.
4. Clara ne fait jamais **ses devoirs**.
5. Mes amis ne parlent plus **cette langue**.
6. Vous ne regardez jamais **cette carte**.
7. Je n'attends plus **mon frère**.
8. Elle n'adore pas **les bêtes sauvages**.
9. Tu ne manges jamais **ton pain**.
10. On ne loue plus **cette maison**.

H. Pose les questions suivantes aux autres membres de la classe. Il faut employer un pronom complément d'objet direct pour chaque réponse.

Exemple
Tu comprends le suédois?
Non, je ne le comprends pas.

1. Tu comprends le portugais?
2. Tu vends ta bicyclette?
3. Tu apprends le russe?
4. Tu visites le musée maintenant?
5. Tu fais la cuisine ce soir chez toi?
6. Tu regardes la télé à sept heures du matin?
7. Tu trouves le français difficile?
8. Tu entends le téléphone maintenant?
9. Tu prends ta douche dans la cuisine?
10. Tu aimes les examens?

Café Aux Deux Magots *à Paris*

Le présent des verbes **pouvoir** et **vouloir**

pouvoir – *to be able to*

Je **peux** entrer maintenant?   Nous **pouvons** répondre.

Peux-tu m'aider?   **Pouvez**-vous venir à six heures?

Il ne **peut** pas faire du ski.   Ils **peuvent** téléphoner maintenant.

Elle **peut** jouer avec son amie.   Elles ne **peuvent** pas chanter aujourd'hui.

vouloir – *to want, to want to*

Je **veux** danser.   Nous **voulons** aller à Hull.

Veux-tu manger?   **Voulez**-vous danser avec moi?

Il **veut** un biscuit.   Ils ne **veulent** pas parler.

Elle **veut** de la crème.   Elles **veulent** savoir votre nom.

La plage à la Martinique

Exercices

A. Trouvez le sujet qui manque.

Exemple
Ton mari, veut-_____ venir aussi?
Ton mari, veut-**il** venir aussi?

1. Est-ce que _____ peux voir ta réponse?
2. A quelle heure voulez-_____ manger ce soir?
3. Combien de hamburgers est-ce que _____ peux manger, Chris?
4. _____ voulons aller au cinéma maintenant.
5. Peuvent-_____ manger et chanter en même temps?
6. _____ veulent apprendre le français.
7. Regarde cette femme! _____ peut marcher sur l'eau.

B. Donnez la forme correcte du verbe entre parenthèses.

Exemple
(pouvoir) Nous ne _____ pas finir cet exercice aujourd'hui.

Nous ne **pouvons** pas finir cet exercice aujourd'hui.

1. (vouloir) Je _____ aller à Québec pendant le Carnaval.
2. (pouvoir) Est-ce que tu _____ trouver mes souliers?
3. (vouloir) Les enfants ne _____ pas rester à la maison.
4. (pouvoir) Est-ce que ton frère _____ venir aussi?
5. (vouloir) Vous _____ danser avec ce garçon!
6. (pouvoir) Je _____ prendre ma douche maintenant?
7. (vouloir) Nous _____ du café s'il vous plaît.
8. (pouvoir) Vous ne _____ pas nager aujourd'hui. L'eau est trop froide.

C. Chacun à son goût. Réponds aux questions suivantes.

1. Qu'est-ce que tu veux toujours manger?
2. Qu'est-ce que tu peux faire pendant le week-end que tu ne peux pas faire aujourd'hui?
3. Qu'est-ce que tes parents ne veulent jamais faire?
4. Quel film est-ce que tu ne veux pas voir?
5. Qu'est-ce que tu veux acheter?
6. Quels sports ne veux-tu pas pratiquer en hiver?
7. Qu'est-ce que ton père ne peut jamais trouver?
8. Quelle émission est-ce que tu veux regarder ce soir?
9. Quels jours veux-tu rester au lit?
10. Qu'est-ce que tu ne peux jamais faire?

PROVERBE

Vouloir c'est pouvoir.

133

Les noms en -al

Elle adore son cheval.

Elles adorent leurs chevaux.

 Observation grammaticale

singulier

Elle adore son cheval.

Voilà le journal.

pluriel

Elles adorent leurs chevaux.

Voilà les journaux.

How is the plural of many nouns ending in **-al** formed?

Other nouns like **cheval** and **journal** are **hôpital** and **animal**.

Exercices

A. Répondez aux questions en suivant le modèle.

Exemple
Tu cherches **le journal?**
Non, je cherche **les journaux.**

1. Elle donne du sucre à **ce cheval?**
2. Leur mère travaille à **cet hôpital?**
3. Tu veux **un animal?**
4. On vend **le journal** dans cette boutique?
5. Il y a **un animal** au zoo?
6. Le malade regarde **ce cheval** et **cet animal** dans **le journal** à **cet hôpital?**

B. Pose la question à un(e) autre élève.

Exemple
Demande à un(e) autre élève s'il y a un animal chez lui(elle).

Elève 1: Y a-t-il un animal chez toi?
Elève 2: Oui, il y a un chien et un chat chez moi.

1. Demande à un(e) autre élève s'il y a un animal chez lui(elle).
2. Demande à un(e) autre élève quels animaux il(elle) n'aime pas.
3. Demande à un(e) autre élève combien d'hôpitaux il y a dans cette ville.
4. Demande à un(e) autre élève s'il(si elle) a un ami à l'hôpital maintenant.
5. Demande à un(e) autre élève les noms des journaux de cette ville.
6. Demande à un(e) autre élève quel journal ses parents achètent chaque jour.
7. Demande à un(e) autre élève s'il(si elle) aime les chevaux.
8. Demande à un(e) autre élève s'il(si elle) a un cheval.

 POUR BIEN LIRE

Lisez l'histoire suivante.

Nathalie et Georges et Jeannette et Paul
Voici l'histoire de quatre amis. Nathalie aime Georges et tout le monde pense qu'il l'aime aussi. Secrètement, Georges préfère Jeannette. Malheureusement, Jeannette adore Paul mais elle sait bien que Paul ne l'aime plus. Il aime vraiment Nathalie.

Un jour, Paul marche lentement dans le parc quand il voit Nathalie qui regarde sérieusement une lettre qu'elle a à la main. «C'est probablement une lettre de Georges», pense-t-il tristement. «Bonjour, Nathalie», dit-il. Nathalie le regarde et commence à pleurer. «Oh Paul, je suis terriblement triste. Voici une lettre de Georges. Il dit qu'il adore Jeannette et qu'elle l'aime aussi. Qu'est-ce que je vais faire?» «Ne pleure pas, Nathalie», dit Paul. Il prend tendrement la main de Nathalie et dit: «C'est toi que j'adore.» Oh, Paul, heureusement que tu m'aimes», dit Nathalie. Et tous les deux quittent le parc ensemble.

A. Make a list of the adverbs that correspond to the adjectives in the following sentences.

1. Cette étudiante est **heureuse.**
2. Cette auto est **lente.**
3. Cette femme est **malheureuse.**
4. Cette lettre est **secrète.**
5. Cette question est **sérieuse.**
6. Une carte est **probable** et un cadeau est **probable** aussi.
7. Cette femme est **tendre** et ce mari est **tendre** aussi.
8. Cette tarte est **terrible** et ce gâteau est **terrible** aussi.
9. Cette fille est **triste** et ce garçon est **triste** aussi.
10. Deux et deux font quatre. C'est **vrai!**

B. Based on question A above, can you explain how to form an adverb from an adjective in French? 135

LECTURE

Chacun à son goût!

1 Monsieur Gendron, sa femme, son fils Antoine et sa fille Anne organisent leurs vacances.

M. Gendron: J'ai un mois de vacances cette année et heureusement nous avons assez d'argent pour voyager. Où voulez-vous aller?

5 **Antoine:** Je veux visiter une île exotique, la Martinique, par exemple. Le soleil, je l'adore! Je vais passer toute la journée à la plage. Nous pouvons nager, faire du ski nautique, de la voile et de l'exploration sous-marine. Quel bonheur!

Mme Gendron: C'est ennuyant, la plage.

Anne: Et moi, je ne veux pas visiter un pays où on parle français. Je ne le parle

10 pas bien. C'est trop difficile.

Mme Gendron: Moi, j'adore la langue française! Je veux aller à Paris. Nous pouvons visiter tous les monuments de la ville, les églises, les musées, les jardins. Nous pouvons faire des promenades le long de la Seine et prendre un apéritif dans un café en plein air sur les Champs-Elysées. Nous pouvons rester

15 dans un grand hôtel au centre de la ville et manger chaque soir dans un restaurant différent. La cuisine française est superbe! Depuis longtemps je rêve de visiter les maisons de haute couture — Dior, Givenchy, Chanel, Courrèges, St-Laurent. Elles sont toutes à Paris.

Antoine: Assez, maman. C'est une course, pas des vacances! Je suis fatigué à

20 l'année longue. Je ne veux pas courir en vacances.

M. Gendron: Je suis parfaitement d'accord. Personnellement, je préfère prendre mon temps en voyage. Je veux aller en Suisse. Nous pouvons louer une camionnette et faire du camping dans les montagnes. Les Alpes sont magnifiques. Chaque jour nous pouvons faire des excursions à pied et des pique-niques

25 en forêt. Je déteste les grandes villes. Je veux visiter les coins pittoresques de la Suisse.

Antoine: Mais papa, le camping, je le déteste! Il y a des insectes partout. Il fait froid la nuit. J'ai horreur des bêtes sauvages.

Anne: Pas la Suisse, papa. On parle français en Suisse aussi. Moi, j'adore le

30 danger et l'aventure. Je veux faire un safari en Afrique, au Sénégal peut-être. Nous pouvons chasser des bêtes sauvages, explorer la jungle et faire le tour des marchés.

Mme Gendron: On parle français au Sénégal aussi, chérie. Si tu veux voyager, c'est une bonne idée de l'apprendre!

35 **M. Gendron:** Ça suffit! Nous avons tous des projets différents en tête. Pourquoi ne restons-nous pas au Canada? Le Canada a un peu de tout! Anne, où est la carte?

Ensemble: XXX!!!??—!

faire du ski nautique to go water skiing

l'exploration sous-marine scuba diving

le long de along

à l'année longue all year long

ça suffit that's enough

en tête in mind

un peu de tout a little of everything

136

137

Compréhension

A. Complétez les phrases suivantes.

1. Antoine veut visiter la Martinique parce que . . .
2. A la Martinique on peut . . .
3. A Paris Madame Gendron veut visiter . . .
4. Elle veut faire . . .
5. Elle veut prendre . . .
6. Elle veut rester . . .
7. Elle veut manger dans un restaurant différent chaque soir parce que . . .
8. Quelques maisons de haute couture à Paris sont . . .
9. M. Gendron n'aime pas les grandes villes. Il préfère . . .
10. En Suisse, M. Gendron veut . . .
11. Antoine déteste le camping parce qu' . . .
12. Au Sénégal en Afrique, Anne veut . . .
13. Anne refuse de visiter la Martinique, la Suisse et la France parce qu' . . .
14. Anne ne sait pas qu' . . .

B. Imaginez chaque membre de la famille Gendron à leur tour. Jugez-vous qu'il(elle) est:

a) sportif (sportive)?
b) solitaire?
c) énergique?
d) paresseux (paresseuse)?
e) imaginatif (imaginative)?
f) coopératif (coopérative)?
g) intellectuel (intellectuelle)?
h) pratique?
i) diplomatique?
j) extravagant(e)?
k) inflexible?
l) nerveux (nerveuse)?

138 Pourquoi?

Le fouinard

Réponds aux questions suivantes.

1. Aimes-tu le camping?
2. As-tu peur des insectes? des bêtes sauvages? des serpents? de l'exploration sous-marine? de l'eau? des avions?
3. Quel pays veux-tu visiter? Quelle ville?
4. Préfères-tu habiter dans une grande ville ou à la campagne?
5. En voyage, préfères-tu rester dans un grand hôtel au centre de la ville ou faire du camping?
6. Trouves-tu la langue française difficile?
7. Qu'est-ce que tu trouves ennuyant?
8. Quelles langues veux-tu apprendre? Quelles langues parles-tu déjà?
9. Fais-tu de la voile? du ski nautique?
10. Pourquoi apprends-tu le français maintenant?

Un safari en Afrique

a) J'ai besoin du français pour voyager.
b) J'ai besoin du français pour trouver du travail.
c) Le Canada est un pays bilingue.
d) Je trouve les langues étrangères intéressantes.
e) Je n'ai pas le choix; c'est une matière obligatoire à l'école.
f) J'apprends le français pour toutes ces raisons.
g) ?

A ton avis

A. Tu as un mois de vacances. Quelle genre de vacances préfères-tu?
a) faire du ski dans les Alpes
b) visiter la ville de Rome en Italie; étudier l'histoire de la ville; explorer toutes les attractions touristiques
c) louer une camionnette avec un(e) ami(e) et faire le tour de l'Allemagne
d) visiter la Floride; passer toute la journée à la plage; nager; faire du ski nautique et de la voile
e) explorer la jungle en Afrique; chasser les bêtes sauvages; visiter les marchés en plein air
f) voyager à bicyclette en Angleterre; faire du camping; faire des excursions à pied
g) rester chez toi et passer les vacances avec tes amis
h) aller dans une colonie de vacances (*summer camp*)
i) aller à l'école pendant l'été
j) travailler au Yukon et gagner beaucoup d'argent
k) ?

B. Pour moi le bonheur c'est
un téléphone dans ma chambre.
rester au lit le matin.
être malade le jour des examens.

Et pour un étudiant?
Et pour un professeur?
Et pour un homme pauvre?
Et pour un chat?
Et pour des sportifs?
Et pour toi?

A faire et à discuter

1. M. Gendron décide que la famille va passer les vacances au Canada. Imaginez la réaction de Mme Gendron, d'Anne et d'Antoine face à cette décision.
2. Organisez des vacances idéales. Décidez, par exemple, où vous allez, comment vous voyagez, où vous restez, les villes et les attractions touristiques que vous visitez, etc.

POT-POURRI

A. Composition orale

Une journée d'été

B. Remplacez les mots en caractères gras par le pronom qui convient.

Exemple
Ma famille et moi, nous louons cette maison.
Nous la louons.

1. **Les touristes** achètent **la carte de la ville.**
2. **Ma cousine** adore **l'été.**
3. **Les garçons** écoutent **ce chanteur français.**
4. **Nancy et moi,** nous faisons **cet exercice** ensemble.
5. **Ma soeur** prend toujours **l'autobus numéro sept.**
6. **Le professeur** compte **ses élèves.**
7. **Le chien** mange **le soulier de mon père.**
8. **Vous et moi,** nous étudions **le français.**

C. Voici ce que dit l'optimiste. Employez les expressions négatives pour donner les opinions du pessimiste.

Exemple
L'optimiste: Il fait **toujours** beau ici.
Le pessimiste: Il **ne** fait **jamais** beau ici.

1. L'optimiste: J'aime **tout le monde.**
2. L'optimiste: Je suis **toujours** heureux (heureuse).
3. L'optimiste: Je cours **tous les matins.**
4. L'optimiste: Je suis intelligent(e).
5. L'optimiste: Je trouve **tous les repas** délicieux.
6. L'optimiste: Le dimanche après-midi je visite **mes amis.**
7. L'optimiste: Je réussis **tout.**
8. L'optimiste: Je suis optimiste **maintenant.**

D. Imitez le modèle.

Exemple
Tu veux maigrir?
Je maigris déjà.

1. Ton frère veut être en forme?
2. Cette équipe veut gagner ce match?
3. Les élèves veulent apprendre le russe?
4. Vous voulez savoir la réponse?
5. Les professeurs veulent chasser les bêtes sauvages en Afrique.
6. Tu veux acheter ces journaux?
7. On veut faire la vaisselle?
8. Tes parents veulent visiter le musée.

Le musée du Louvre et le jardin des Tuileries

⊕ ENRICHISSEMENT

A. Dialogue

Un étudiant canadien passe par la douane à Montréal après ses vacances en France.

Douanier: Nom?

Victor: Victor Martin.

Douanier: Nationalité?

Victor: Canadien.

Douanier: Date de naissance?

Victor: Le 3 septembre, 1961.

Douanier: Donnez-moi votre passeport.
Ça fait combien de temps que vous êtes à l'étranger?

Victor: Deux mois.

Douanier: Vous avez quelque chose à déclarer?

Victor: Oui, monsieur – des cigarettes, deux bouteilles de vin, du parfum et des souliers. Voici ma formule.

Douanier: C'est correct. Ça ne dépasse pas la limite de $150. Rapportez-vous des plantes ou de la viande?

Victor: Non, monsieur.

Douanier: Avez-vous des drogues ou des médicaments?

Victor: Oui, des pilules contre les allergies.

Douanier: C'est tout?

Victor: Oui, monsieur.

Douanier: Merci.

B. Comment survivre en vacances

Si vous voyagez en Europe en avion, n'oubliez pas votre passeport, votre billet d'avion, vos chèques de voyage et votre appareil photographique.

Si vous passez la journée à la plage, n'oubliez pas votre maillot de bain, vos lunettes solaires, de la crème solaire et une très grande serviette.

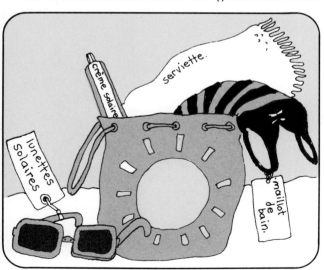

Si vous faites du camping, n'oubliez pas votre sac de couchage, votre tente et vos provisions — de la nourriture, une hache, des allumettes, une boussole, des soins médicaux et du chasse-insectes.

Exercice

De quoi a-t-on besoin pour:
a) couper le bois?
b) protéger la peau contre le soleil?
c) embarquer en avion?
d) passer par la douane?
e) chasser des insectes?
f) faire du feu?
g) trouver la bonne voie?
h) s'allonger sur le sable?
i) prendre des photos?
j) payer le voyage?
k) dormir en plein air quand il fait froid?
l) dormir en plein air quand il pleut?
m) nager à une plage publique?
n) protéger les yeux du soleil?

143

VOCABULAIRE ACTIF

Noms (masculin)

l'apéritif	le coin	le nom
le bonheur	le marché	le zoo
le centre	le musée	

Noms (féminin)

l'année	la course	la langue
l'aventure	l'église	la nuit
la camionnette	l'île	la ville
la carte		

Verbes

chasser	pouvoir	vouloir
louer	rêver	voyager

Adjectifs

bilingue	difficile	sauvage

Adverbes

peut-être	vraiment

Expressions

chacun à son goût	faire de la voile
chéri(e)	ne(n'). . .jamais
en plein air	ne(n'). . .personne
faire un pique-nique	ne(n'). . .plus
faire le tour	ne(n'). . .rien

UNITÉ 6

◎ OBJECTIVES

How would you like to be able to:
- talk about what you have done recently at home and in school;
- discuss dreams, superstitions, ghosts, and some aspects of the supernatural;
- say what you consider to be a surprise, nightmare, problem, adventure, etc?

145

VOCABULAIRE

1. Un homme est **mort**.
Sherlock Holmes examine le **corps**.
« C'est un **meurtre** », dit-il.

2. Donald **saisit** sa pantoufle pour **tuer** les insectes.

3. La famille regarde les **nouvelles** à la télé.

Tout à coup, le bébé entre dans la salle **sans** pantalon. Tout le monde **éclate de rire**.

4. Simon **plonge** dans le lac.
Son chien **sort** de l'eau.
Il n'**a** pas **envie de** nager.

5. Oh-là-là!
Ils **poussent** l'auto trop **fort**.
Elle roule **vers** la **rivière**.

6. Geneviève **rencontre** Lancelot
au milieu d'un petit **chemin**.

7. Aujourd'hui Cécile est **en retard**.
Hier aussi!
Cécile est **souvent** en retard.

vendredi
25 mai

147

8. Barbara a une belle **voix.**
Elle chante **comme** un **oiseau.**

9. Donna fait un mauvais **rêve.**
Elle rêve qu'il y a des monstres partout.
Quel cauchemar!

10. Nanette et Sam **tirent** sur le bâton.
Sam veut aller **là-bas** près des **arbres**
avec les autres enfants.

Exercices

A. Répondez aux questions suivantes.

1. Est-ce que l'homme est en bonne santé?
   Qu'est-ce que Sherlock Holmes fait?
   Pense-t-il que c'est une mort naturelle?

2. Qu'est-ce que Donald saisit?
   Pourquoi?

3. Quelle émission de télé la famille
   regarde-t-elle?
   Comment est-ce que le bébé entre dans
   la salle?
   Pourquoi est-ce que tout le monde éclate
   de rire?

4. Est-ce que Simon saute dans le lac?
   Est-ce que le chien plonge dans le lac aussi?
   Est-ce qu'il a envie de nager?

5. Qu'est-ce que ces personnes font?
   Comment poussent-elles la voiture?
   Dans quelle direction l'auto roule-t-elle?
6. Où est-ce que Geneviève rencontre Lancelot?
7. Quelle est la date aujourd'hui? Et hier?
   Pourquoi le professeur est-il fâché?
   Quand est-ce que Cécile est en retard?
8. Comment est la voix de Barbara?
   Comment est-ce qu'elle chante?
9. Est-ce que Donna fait un beau rêve?
   Qu'est-ce que c'est qu'un cauchemar?
10. Sur quoi Nanette et Sam tirent-ils?
    Où Sam veut-il aller?
    Où est-ce que les autres enfants jouent?

B. Remplacez les mots en caractères gras par les mots contraires qui se trouvent dans le nouveau vocabulaire.

Exemple
Je vais au cinéma **avec** mes parents.
Je vais au cinéma **sans** mes parents.

1. On **pousse** cette porte.
2. Victoria **rentre** à huit heures.
3. Faisons le pique-nique **ici!**
4. Tu fais un **beau rêve?**
5. L'enfant **commence à pleurer.**
6. Cette femme est **en vie.**
7. Elle **ne veut pas** manger son dîner.
8. Nous allons au concert **demain.**

C. Complétez les phrases suivantes. Trouvez les réponses dans le nouveau vocabulaire.

1. Les enfants nagent dans la _____ .
2. Oh-là-là! Le match commence déjà. Nous allons être _____ .
3. – Ta mère regarde les _____ à la télé?
   – Non, elle préfère lire le journal.

4. Mon oncle est mort dans des circonstances bizarres. La police pense que c'est un _____ .
5. – Quel est ce bruit? – C'est mon petit _____ qui chante dans sa cage.
6. Cette femme est fatiguée. Elle travaille très _____ toute la journée.
7. Voilà Anne qui arrive. J'entends sa _____ .
8. Je ne vais jamais chasser les animaux. Je ne veux pas _____ les bêtes.
9. On trouve beaucoup d'_____ dans une forêt.
10. _____ est le jour avant aujourd'hui.

D. Réponds à ces questions personnelles.

1. Quand est-ce que tu éclates de rire?
2. Préfères-tu lire les nouvelles dans un journal ou les regarder à la télé?
3. As-tu un oiseau? Comment s'appelle-t-il?
4. Où vas-tu toujours sans tes parents?
5. Est-ce qu'on tire ou est-ce qu'on pousse la porte de cette salle pour entrer dans cette classe?
6. Est-ce qu'il y a une rivière près de cette école?
7. Fais-tu souvent des cauchemars?
8. Es-tu souvent en retard pour la classe de français?
9. Vas-tu sortir ce soir? Ce week-end? Avec qui?
10. Qu'est-ce que tu as envie de manger quand tu regardes la télé?
11. Quand tu vas nager, préfères-tu plonger tout de suite dans l'eau ou entrer lentement dans l'eau?
12. Qui vas-tu rencontrer après cette classe?
13. Y a-t-il un arbre devant cette école?

149

 STRUCTURES

Les pronoms **lui** et **leur**

1. Elle **lui** donne un beau cadeau et il **lui** donne une carte.

2. On **leur** montre la porte.

 Observation grammaticale

Je donne un cadeau **à Marie.**

Je donne un cadeau **à Bill.** Je **lui** donne un cadeau.

Je donne un cadeau **à l'enfant.**

Nous parlons **à Marc et à Nicole.**

Nous parlons **à Laura et à Chantal.** Nous **leur** parlons.

Nous parlons **aux visiteurs.**

How do you say **to him** or **to her** in French? And **to them?**
What is the position of **lui** or **leur** in a French sentence?
What other pronouns have you learned that occupy the same position?

Exercices

A.
Complétez les réponses suivantes par **lui** ou **leur**.

Exemple
Tu parles **à Jane?** – Oui, je _____ parle.
Oui, je **lui** parle.

1. Vous donnez un cadeau **au professeur** – Oui, nous _____ donnons un beau cadeau!
2. Tu montres la ville **à Mme Michel?** – Oui, je _____ montre la ville.
3. Ils parlent russe **à leurs cousines?** – Oui, ils _____ parlent russe.
4. Monique téléphone **à Serge?** – Oui, elle _____ téléphone tous les soirs.
5. Nous répondons **au directeur** en français? – Non, vous _____ répondez en anglais.
6. Je donne de l'argent **à ces dames?** – Oui, tu _____ donnes deux dollars.
7. Stephan téléphone **à ses parents?** – Non, il _____ écrit une lettre.
8. Tu montres ton bulletin **à ton copain?** – Mais oui, je _____ montre toujours mon bulletin.

B.
Remplacez les mots en caractères gras par **lui** ou **leur**.

Exemple
Le professeur parle **aux élèves.**
Le professeur **leur** parle.

1. Nous téléphonons **à nos amis.**
2. Le père montre des photos **à son fils.**
3. Nous louons notre maison **à cette dame.**
4. Ces enfants obéissent toujours **à leurs parents,** n'est-ce pas?
5. La mère crie **au bébé:** « Viens ici! »
6. Tu téléphones **à M. Trudeau?**

7. Mon copain montre son bulletin **à sa mère.**
8. Qui donne un cadeau **à cet enfant?**
9. Vous vendez votre chien **à Bobby?**
10. Les journalistes posent des questions **aux musiciens.**

C.
Répondez aux questions suivantes. Employez **lui** ou **leur** dans votre réponse.

Exemple
Tu parles **à Martin?**
Oui, je **lui** parle.

1. Marc répond **au professeur?**
2. Le père chante une chanson **aux enfants?**
3. Vous donnez un cadeau **à M. et Mme Lajoie?**
4. Nous obéissons **à cet homme?**
5. Il montre la ville **à ses cousins?**
6. Ils vendent leur auto **à Mlle Langlois?**
7. On crie « Bon voyage! » **aux voyageurs?**
8. Elle téléphone **à son mari?**

 En garde!

On **lui** donne de l'argent?

Non, on ne **lui** donne rien!

Tu **leur** parles souvent?

Non, je ne **leur** parle jamais.

What is the position of **lui** or **leur** when there is a negative expression in the sentence?

151

D. Mettez les phrases suivantes à la forme négative. Remplacez les mots en caractères gras par l'expression donnée.

1. (rien)   Nous lui donnons **un beau cadeau.**
2. (pas)   Tu leur téléphones **ce soir.**
3. (plus)   Il leur obéit **toujours.**
4. (pas)   Tu leur réponds **en français.**
5. (jamais)   Vous lui obéissez **toujours.**
6. (rien)   Ils leur montrent **les montagnes américaines.**
7. (plus)   Elle lui écrit **maintenant.**
8. (jamais)   La fille lui vend son journal **tous les matins.**

E. Répondez aux questions suivantes. Employez l'expression négative donnée et remplacez les mots en caractères gras par **lui** ou **leur.**

1. Qu'est-ce que Lucy donne **à Snoopy?** (rien)
2. Qu'est-ce que le professeur répond **à l'élève?** (rien)
3. Quand est-ce que tu écris **à tes grands-parents?** (jamais)
4. Est-ce que le chanteur parle **aux spectateurs?** (pas)
5. Quand téléphones-tu **à tes amis?** (plus)
6. Est-ce que le voleur montre la lettre **au directeur de la banque?** (pas)
7. Quand le chien obéit-il **à ces enfants?** (jamais)
8. Est-ce qu'on parle **à ces touristes?** (pas)

F. Nous voulons ton opinion. Emploie **lui** ou **leur** dans ta réponse.

1. Qu'est-ce qu'on dit au professeur à neuf heures du matin?
2. Qu'est-ce qu'on chante à ses amis quand c'est leur anniversaire?
3. Quand est-ce qu'on téléphone à un très bon copain?
4. Qu'est-ce qu'on donne à une personne qui est à l'hôpital?
5. Quelle langue parle-t-on aux Italiens? Aux Russes? Aux Ecossais?
6. Qu'est-ce qu'on montre aux touristes qui visitent cette ville?
7. Quand obéit-on à ses parents?
8. Qu'est-ce qu'on répond à une personne qui dit: « Merci »?

Une guillotine

152

Le passé composé des verbes en **-er**

Les petits gourmands

1. Yves **a préparé** un beau gâteau.

2. Mimi et Jojo **ont mangé** le beau gâteau.

3. Marianne **a fermé** la porte.

153

Observation grammaticale

travailler au passé composé

J'**ai travaillé** hier.

Tu **as travaillé** ce matin?

Elle **a travaillé** à l'école.

On **a travaillé** toute la journée.

Nous **avons travaillé** à la bibliothèque.

Vous **avez travaillé** fort!

Les garçons **ont travaillé** cet après-midi.

Les étudiantes **ont travaillé** ensemble.

Most verbs that end in **-er** form their **passé composé** like **travailler.**

The form **travaillé** is called the **participe passé.**

What changes do you make to *the infinitive* **travailler** to form the **participe passé?**

What are the two parts of a verb in the **passé composé?**

Exercices

A. Employez le verbe **avoir** pour compléter les phrases suivantes.

Exemple
Nous _____ écouté de la musique classique.
Nous **avons** écouté de la musique classique.

1. Jean-Luc _____ regardé une émission amusante à la télé hier soir.
2. _____-tu mangé à l'école aujourd'hui?
3. Les enfants _____ joué près de la rivière ce matin.
4. J'_____ rencontré mon amie Julia au magasin samedi.
5. Où _____-vous voyagé l'été passé?
5. On _____ loué des bicyclettes.
7. Madeleine _____ donné un biscuit à sa sœur.
8. Nous _____ préparé un repas délicieux hier soir.

B. Ajoutez le participe passé du verbe donné pour compléter les phrases suivantes.

Exemple
(chercher) J'ai _____ mes clés partout.
J'ai **cherché** mes clés partout.

1. (chasser) Nos amis ont _____ des lions en Afrique.
2. (épouser) Quand est-ce que ton grand-père a _____ ta grand-mère?
3. (fumer) Vous avez _____ trop de cigarettes hier soir?
4. (oublier) Qu'est-ce que tu as _____ à la maison ce matin?
5. (acheter) Nous avons _____ beaucoup de vêtements en ville.
6. (dépenser) Mon frère a _____ vingt dollars au restaurant hier.

C. Mettez le verbe donné au passé composé.

Exemple
(travailler) L'étudiant _____ toute la nuit.
L'étudiant **a travaillé** toute la nuit.

1. (plonger) Les enfants _____ dans la rivière.
2. (dessiner) Qu'est-ce que tu _____, Pierrot?
3. (chanter) Nous _____ des chansons allemandes.
4. (compter) On _____ les autos japonaises devant l'école.
5. (parler) _____-vous _____ à ces acteurs?
6. (étudier) J'_____ la géographie et les mathématiques hier.
7. (quitter) A quelle heure est-ce que Guy _____ la maison ce matin?
8. (jouer) Ma mère _____ aux cartes avec ses amis.
9. (laver) Simone _____ l'auto de sa sœur.
10. (écouter) _____-tu _____ la radio hier matin?

D. Changez les phrases suivantes au passé composé.

Exemple
Le monstre **cherche** des victimes.
Le monstre **a cherché** des victimes.

1. Je **mange** un sandwich dans la cuisine.
2. Vous **marchez** dans un petit chemin.
3. Le chien **nage** dans le lac.
4. Ils **invitent** tous leurs amis à la partie.
5. Nous **travaillons** avec nos amis.
6. On **gagne** beaucoup de matchs cette année.
7. Qui **téléphone** à la police?
8. Est-ce que tu **pleures** au cinéma?

155

En garde!

Tu as parlé à Pierre?

Non, je **n'ai pas** parlé à Pierre.

Il a acheté une nouvelle radio?

Non, il **n'a rien** acheté.

Vous avez regardé ce livre?

Non, nous **n'avons jamais** regardé ce livre.

What is the position of the negative expressions **n'. . .pas, n'. . .rien** and **n'. . .jamais** when the verb is in the **passé composé?**

E. Mettez les phrases suivantes à la forme négative. Employez **n'. . .pas.**

Exemple
J'ai parlé à Jean-Paul.
*Je **n'ai pas** parlé à Jean-Paul.*

1. Il a acheté beaucoup de livres.
2. Nous avons loué cette camionnette.
3. Marie-Claire a sauté sur sa bicyclette.
4. Vous avez nettoyé la cuisine.
5. Mes copains ont détesté ce film.
6. J'ai trouvé leur chien dans notre jardin.
7. Ces hommes ont acheté ces autos.
8. Tu as gagné trop de matchs cette année.
9. On a oublié toutes les réponses.
10. Le médecin a visité les malades à l'hôpital.

F. Demande à un(e) élève de cette classe s'il (si elle)

1. a regardé une bonne émission de télé hier soir.
2. a pleuré à l'école aujourd'hui.
3. a écouté ses disques hier après les classes.
4. a étudié hier soir.
5. a dépensé beaucoup d'argent samedi.
6. a quitté la maison à sept heures et demie aujourd'hui.
7. a parlé avec sa sœur (son frère) ce matin.
8. a mangé dans la salle à manger hier soir.
9. a nagé dans un lac cette semaine.
10. a gagné de l'argent à la loterie.

Une rue à Paris

156

Les pronoms relatifs **qui** et **que**

Un chef extraordinaire

1. Le chef prépare des repas.

2. Les repas sont délicieux.

3. Les repas **que** le chef prépare sont délicieux.
Mais oui! Le chef prépare toujours des repas **qui** sont délicieux.

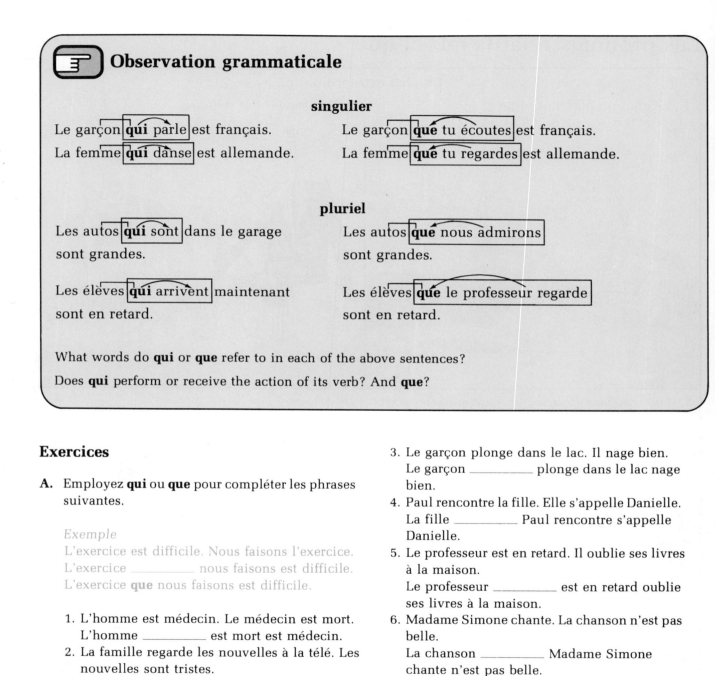

Observation grammaticale

singulier

Le garçon **qui** parle est français.

La femme **qui** danse est allemande.

Le garçon **que** tu écoutes est français.

La femme **que** tu regardes est allemande.

pluriel

Les autos **qui** sont dans le garage sont grandes.

Les élèves **qui** arrivent maintenant sont en retard.

Les autos **que** nous admirons sont grandes.

Les élèves **que** le professeur regarde sont en retard.

What words do **qui** or **que** refer to in each of the above sentences?

Does **qui** perform or receive the action of its verb? And **que**?

Exercices

A. Employez **qui** ou **que** pour compléter les phrases suivantes.

Exemple

L'exercice est difficile. Nous faisons l'exercice.

L'exercice _____ nous faisons est difficile.

L'exercice **que** nous faisons est difficile.

1. L'homme est médecin. Le médecin est mort.
   L'homme _____ est mort est médecin.
2. La famille regarde les nouvelles à la télé. Les nouvelles sont tristes.
   Les nouvelles _____ la famille regarde à la télé sont tristes.

3. Le garçon plonge dans le lac. Il nage bien.
   Le garçon _____ plonge dans le lac nage bien.
4. Paul rencontre la fille. Elle s'appelle Danielle.
   La fille _____ Paul rencontre s'appelle Danielle.
5. Le professeur est en retard. Il oublie ses livres à la maison.
   Le professeur _____ est en retard oublie ses livres à la maison.
6. Madame Simone chante. La chanson n'est pas belle.
   La chanson _____ Madame Simone chante n'est pas belle.
7. L'arbre est grand. Il est à côté du garage.
   L'arbre _____ est à côté du garage est grand.

158

8. Nous poussons la camionnette. La camionnette ne marche pas.

La camionnette _____ nous poussons ne marche pas.

B. Remplacez les mots en caractères gras par **qui** ou **que** et composez une seule phrase.

Exemple
Le rêve est un cauchemar. Paul fait **le rêve.**
Le rêve _____ est un cauchemar.
Le rêve **que Paul fait** est un cauchemar.

1. Les chiens sont grands. **Les chiens** courent dans le parc.
Les chiens _____ sont grands.
2. La femme est dentiste. **La femme** parle aux enfants.
La femme _____ est dentiste.
3. Le cadeau est beau. Tu achètes **le cadeau** pour ton amie.
Le cadeau _____ est beau.
4. La musique est fantastique. Vous écoutez **la musique.**
La musique _____ est fantastique.
5. Le chemin est très tranquille. Nous prenons **le chemin.**
Le chemin _____ est très tranquille.
6. Les spectateurs regardent **l'homme.**
L'homme danse.
L'homme _____ danse.
7. Le lit est dans sa chambre. Réjean fait **le lit.**
Le lit _____ est dans sa chambre.
8. La gare est au milieu de la ville. Nous cherchons **la gare.**
Le gare _____ est au milieu de la ville.
9. L'oiseau est très beau. **L'oiseau** habite dans l'arbre près du garage.
L'oiseau _____ est très beau.
10. L'auto ne marche plus. Je pousse **l'auto.**
L'auto _____ ne marche plus.

C. Employez **qui** ou **que** pour compléter les phrases suivantes.

Exemple
Les enfants _____ jouent dans le jardin sont japonais.
Les enfants **qui** jouent dans le jardin sont japonais.

1. La machine _____ les Gagnon achètent est allemande.
2. Nous achetons une bicyclette _____ ne coûte pas beaucoup.
3. Il choisit un régime _____ est très difficile.
4. C'est un homme _____ travaille fort.
5. Les pilules _____ ma grand-mère prend sont bleues.
6. Ils louent la camionnette _____ est dans le garage.
7. L'enfant _____ pleure ne trouve pas sa mère.
8. Les bonbons _____ tu fais sont délicieux!
9. L'oiseau _____ nous écoutons a une belle voix.
10. L'arbre _____ est derrière ce magasin est très petit.

🤺 ─ **En garde!**

Le film **que** je regarde est bizarre.
Le film **qu'**il regarde est amusant.

La fille **qui** regarde la télé est Jeanne.
La fille **qui** écoute la radio est Carole.

When do we use the form **qu'** instead of **que?**
Does **qui** change before a vowel?

D. Remplacez les tirets par **qui, que** ou **qu'**.

Exemple
La femme _____ il regarde est la mère de Michel.
La femme **qu'**il regarde est la mère de Michel.

1. Les hommes _____ visitent mes parents sont français.
2. Les réponses _____ je donne sont toujours brillantes.
3. Les journaux _____ on vend dans ce magasin sont américains.
4. Les élèves _____ attendent l'autobus ont froid.
5. L'homme _____ Anne rencontre dans la rue s'appelle Raoul.
6. Les langues _____ on parle au Canada sont le français et l'anglais.
7. Une personne _____ est en forme mange bien.
8. La viande _____ il mange n'est plus bonne.

E. Complète les phrases suivantes comme tu veux.

1. J'aime les amis qui. . .
2. Je préfère les repas que. . .
3. J'admire les professeurs qui. . .
4. Je n'aime pas les vêtements que. . .
5. Je regarde les émissions qui. . .
6. J'adore les personnes qui. . .
7. Je déteste les disques que. . .
8. Je vais souvent aux films qui. . .

Why, when giving a tennis score, do we say *love* instead of *zero*? Originally, a tennis score was counted in French. The French word **l'oeuf,** meaning egg, was used for zero because a zero looks very much like an egg! From **l'oeuf** we have progressed to the English word *love.*

Le passé composé des verbes en **-re**

1. Elle **a perdu** le match.

2. Ils n'**ont** pas **entendu** le téléphone.

3. Nous **avons attendu** pendant deux heures!

161

Observation grammaticale

vendre au passé composé

J'**ai vendu** ma bicyclette.

Tu **as vendu** ton chien?

Il **a vendu** cent billets.

Elle n'**a** pas **vendu** de billets.

Nous **avons vendu** des pommes.

Avez-vous **vendu** votre maison?

Ils n'**ont** rien **vendu.**

Elles **ont vendu** beaucoup de choses.

Other verbs that form their **passé composé** like **vendre** are:
attendre, descendre, entendre, perdre, and **répondre.**

Vendu is the **participe passé** of **vendre.** What is the **participe passé** of the five other verbs?

What is the difference between **Je vends ma bicyclette** and **J'ai vendu ma bicyclette?**

Exercices

A. Complétez les phrases en employant un des participes passés suivants:

attendu/descendu/entendu/perdu/vendu

Exemple
Quoi? Tu as _____ un voleur dans le garage?
Quoi? Tu as **entendu** un voleur dans le garage?

1. Où avez-vous _____ l'autobus? Devant l'école?
2. La famille Laroche va aller à Montréal. Alors, ils ont _____ leur maison à Halifax.
3. Nous n'avons pas joué très bien. Nous avons _____ le match.
4. Janine préfère faire ses devoirs dans la cuisine. Alors, elle a _____ ses livres et son stylo.
5. Répétez, s'il vous plaît. Je n'ai pas _____ votre réponse.

B. Composez des phrases en suivant l'exemple.

Exemple
Moi, perdre mes clés?
Je n'ai jamais perdu mes clés!

1. Mlle Turcotte, répondre aux questions personnelles?
2. Ces enfants, attendre leurs petits frères après les classes?
3. Vous, perdre un match de volleyball?
4. Nancy, vendre son auto?
5. Toi, entendre cette chanson?

C. Réponds à ces questions personnelles.

1. Combien de fois as-tu répondu au téléphone hier?
2. Quel membre de ta famille n'as-tu jamais attendu?
3. Qu'est-ce que tu as vendu cette semaine?
4. Quel livre as-tu perdu cette année?
5. A quel âge as-tu entendu le français pour la première fois?

162

Le passé composé des verbes en -ir

La réunion de famille

1. Mon cousin Philippe **a grandi.**

2. Ma tante Germaine et mon oncle Gérard **ont grossi.**

3. Mon oncle Pierre et ma tante Pauline **ont maigri.**

 ## Observation grammaticale

finir au passé composé

J'**ai fini** mes devoirs.	Nous n'**avons** pas **fini** notre dîner.
Tu **as fini** tes sandwiches?	**Avez**-vous **fini** de parler?
Maurice **a fini** ses exercices.	Les professeurs **ont fini** leur café.
Jocelyne **a fini** le test.	Elles **ont fini** cette leçon.

Other verbs that form their **passé composé** like **finir** are:
choisir, grandir, grossir, maigrir, obéir, remplir, réussir and **saisir**.
Fini is the **participe passé** of **finir**.
What is the **participe passé** of the other verbs?

163

Exercices

A. Complétez les phrases suivantes. Employez le même verbe dans votre réponse que vous trouvez dans la question.

Exemple
Vous **finissez** vos devoirs ce soir? – Non, nous avons _____ nos devoirs à l'école.
Vous finissez vos devoirs ce soir? – Non, nous avons **fini** nos devoirs à l'école.

1. Tes parents veulent **maigrir** cet été? – Non, ils ont _____ cet hiver.
2. On va **remplir** les verres de limonade? – Non, on a _____ les verres de lait.
3. Tu **rougis** maintenant? – Non, mais j'ai _____ hier.
4. Nous **choisissons** l'émission de télé aujourd'hui? – Non, vous avez _____ l'émission de télé hier.
5. Ces enfants **obéissent** toujours à leurs parents? – Non, ils n'ont jamais _____ à leurs parents.
6. Ce garçon **grandit** cette année? – Non, mais il a beaucoup _____ l'année dernière.
7. Tes amis **réussissent** à l'école cette année? – Non, mais ils ont _____ à l'école l'année passée.

B. Composez des phrases. Employez le passé composé.

Exemple
Le garçon/remplir/les assiettes.
Le garçon **a rempli** les assiettes.

1. Mon petit cousin/grandir/l'année passée.
2. Vous/choisir/un beau dessert.
3. Les acteurs/finir/leur présentation.
4. Je/saisir/une branche.
5. Les pommes/grossir/au mois d'août.

6. Nous/maigrir/à l'hôpital.
7. Tu/rougir/au film romantique?

C. Réponds à ces questions personnelles.

1. Est-ce que tu as maigri ou grossi cette année?
2. Quels membres de ta famille n'ont pas grandi cette année? Quels membres ont grandi?
3. As-tu fini tes devoirs hier soir?
4. Quand est-ce que tu as rougi?
5. As-tu déjà choisi les vêtements que tu vas porter demain?
6. Quand est-ce que tu n'as pas obéi à tes parents?
7. A quelle heure est-ce que tu as fini ton dîner hier soir?

D. Complétez les phrases suivantes. Employez le passé composé du verbe de la première phrase.

Exemple
Pierre **perd** son livre d'anglais. Elisabeth _____ son livre d'histoire hier.
Pierre **perd** son livre d'anglais. Elisabeth **a perdu** son livre d'histoire hier.

1. Tu **rêves!** J'_____ cette nuit.
2. Nous **choisissons** une nouvelle couleur pour notre maison. Les Tremblay _____ une nouvelle couleur pour leur maison le mois passé.
3. Nous **regardons** une bonne émission de télé ce soir. Vous _____ cette émission hier soir, n'est-ce pas?
4. Ton chien **grandit** très vite. Mon chien _____ l'année passée.
5. Nos joueurs **perdent** le match de baseball cet après-midi. Vos joueurs _____ le match hier après-midi.
6. Je **réussis** à parler français maintenant. Mon père _____ à parler français et allemand.

E. Dites que la personne a fait la même chose la semaine dernière qu'il (elle) va faire la semaine prochaine.

Exemple
Samedi tu **vas nager** dans le lac.
Samedi dernier tu **as nagé** dans le lac.

1. Dimanche, nous **allons visiter** le zoo.
2. Lundi, vous **allez répondre** à la lettre de Mme Langlois.
3. Mardi, on **va choisir** les membres de l'équipe de tennis.
4. Mercredi, mes amis **vont danser** à la discothèque.
5. Jeudi, tu **vas réussir** à tous tes tests.
6. Vendredi, je **vais attendre** mon père devant l'école.
7. Samedi, Simone **va vendre** des vêtements dans un magasin en ville.

F. As-tu l'imagination vive? Complète les phrases suivantes.

Exemple
Quel cauchemar! Mon chien a . . .
Quel cauchemar! Mon chien a **mangé mon livre de français!**

1. Quel cauchemar! Mon chien a . . .
2. Quel bonheur! Mes parents ont . . .
3. Quelle aventure! Nous avons . . .
4. Quelle bonne nouvelle! Mon ami(e) a . . .
5. Quelle surprise! Notre professeur a . . .
6. Quel après-midi! J'ai . . .
7. Quel problème! Ma mère a . . .
8. Quelle chance! Tu as . . .

 # POUR BIEN LIRE

Lisez le passage suivant.

Une question de priorités
Lundi soir, Martin a téléphoné à son amie Christiane pour l'inviter à une nouvelle discothèque en ville. Christiane adore danser, alors, elle a tout de suite accepté cette invitation. Dans la rue, ils ont rencontré un groupe de leurs amis. Ils ont marché ensemble à la disco. Là, tout le monde a tourné, sauté et chanté avec la musique. Ils ont passé quatre heures à danser comme des fous. A une heure, ils ont tous décidé de rentrer à la maison, fatigués mais heureux. Mardi matin, leur professeur a suggéré à la classe de visiter la nouvelle bibliothèque. « Vous êtes tous jeunes et la bibliothèque est à un kilomètre d'ici. Alors, nous allons à pied », a-t-il proposé. « A pied! Ah non! » ont-ils tous crié. « Mais M. le prof », a dit Martin, sans hésiter, « nous n'avons pas assez d'énergie. Nous préférons prendre l'autobus. »

Many verbs are similar in French and English. Make a list of all such verbs in the above passage. Use the following headings for your list:

verbe français	infinitif français	verbe anglais
a téléphoné	téléphoner	to telephone

PROVERBE

Pas de nouvelles, bonnes nouvelles.

165

LECTURE

Au bord de la rivière. . .

1 — Quel cauchemar, maman!

— A quoi est-ce que tu as rêvé cette fois, Hélène?

— J'ai rêvé que je faisais une promenade au bord de la rivière quand tout à coup j'ai entendu mon nom. C'était la voix de mon amie Gisèle. J'ai

5 cherché Gisèle partout mais je n'ai pas réussi à la trouver. Confuse, j'ai décidé de reprendre mon chemin quand j'ai entendu la voix de nouveau.

— Qu'est-ce que tu as trouvé, ma fille?

— Gisèle! Au milieu de la rivière! Elle a dit, « Viens nager, Hélène. Il fait

10 tellement bon ici. Les oiseaux chantent; l'eau est si claire et rafraîchissante. Viens nager! »

— Eh bien? a dit Mme Dupont.

— Maman, je sais que Gisèle déteste l'eau. Comme moi, elle ne sait même pas nager! J'ai essayé de la persuader de sortir de l'eau mais elle a

15 refusé. J'ai saisi la branche d'un arbre et j'ai poussé la branche vers Gisèle. Mais elle a tiré si fort sur la branche que, moi aussi, je suis tombée à l'eau. Gisèle a éclaté de rire, puis elle a plongé dans l'eau.

— Toujours ces rêves bizarres, Hélène!

— J'ai peur, maman. J'ai vraiment peur mais je ne sais pas exactement

20 pourquoi.

— Tu as certainement l'imagination vive, ma fille, mais malheureusement tu n'as pas de bon sens. Oublie ce rêve. Maintenant, dépêche-toi ou tu vas arriver à l'école en retard.

A 8:30, Hélène a quitté sa maison comme d'habitude. Tout à coup,

25 elle a entendu son nom. C'était la voix de son amie Gisèle. Elle a cherché Gisèle partout mais elle n'a pas réussi à la trouver. Confuse, elle a décidé de reprendre son chemin quand elle a entendu la voix de nouveau. Là, à l'entrée du chemin menant à la rivière, elle a rencontré Gisèle. Gisèle lui a dit: « Ne va pas à l'école aujourd'hui, Hélène. Viens à la rivière avec

30 moi. Hier soir, j'ai trouvé un petit coin là-bas où on peut prendre du soleil tranquillement. Il fait tellement beau aujourd'hui! Je n'ai pas envie d'étudier. » A la mention du mot rivière, Hélène a commencé à trembler. Gisèle a éclaté de rire. Puis, sans hésiter, Hélène a commencé à courir vers l'école.

35 A l'école, le professeur a dit: « Ce matin, j'ai entendu une nouvelle triste et horrifiante. On ne sait pas comment ou pourquoi, mais notre amie Gisèle est morte. M. Rodin, le pêcheur, a trouvé son corps. Où? Près de la rivière. Quand? Hier soir. »

---

je faisais une promenade *I was taking a walk*

C'était *It was*

de nouveau *again*

j'ai essayé *I tried*

je suis tombée à l'eau *I fell into the water*

l'imagination vive *a vivid imagination*

de bon sens *common sense*

dépêche-toi *hurry up*

menant à la rivière *leading to the river*

Compréhension

A. En parlant du rêve d'Hélène, mettez les phrases suivantes en ordre.

1. Gisèle a refusé.
2. Hélène a entendu la voix de son amie Gisèle.
3. Hélène a poussé la branche d'un arbre vers Gisèle.
4. Hélène a fait une promenade au bord de la rivière.
5. Gisèle a éclaté de rire.
6. Hélène a cherché Gisèle partout mais elle n'a pas réussi à la trouver.
7. Gisèle a tiré sur la branche.
8. Hélène a entendu son nom de nouveau.
9. Hélène a essayé de la persuader de sortir de l'eau.
10. Gisèle a plongé dans l'eau.
11. Hélène est tombée à l'eau.
12. Hélène a trouvé Gisèle au milieu de la rivière.

La femme lit les cartes Tarot

B. Est-ce que les phrases suivantes, fondées sur la lecture, sont vraies ou fausses? Si la phrase est fausse, corrigez-la.

1. Hélène est inquiète ce matin-là à cause de son rêve.
2. Gisèle est déjà morte quand Hélène la rencontre.
3. Hélène sait que Gisèle est morte quand elle la rencontre.
4. Hélène ne veut pas aller à la rivière avec Gisèle parce qu'elle pense à son rêve et elle a peur.
5. Gisèle et Hélène nagent bien.
6. La mère d'Hélène pense que sa fille a du bon sens.
7. La mère d'Hélène pense que sa fille a l'imagination vive.
8. On sait pourquoi et comment Gisèle est morte.
9. On a trouvé le corps de Gisèle près de l'école.
10. Hélène entend parler de la mort de Gisèle à l'école pour la première fois.

Le fouinard

Réponds à ces questions personnelles.

1. Rêves-tu beaucoup?
2. Rêves-tu en couleurs?
3. As-tu souvent des cauchemars?
4. Oublies-tu tes rêves le matin?
5. Trouves-tu l'analyse des rêves intéressante?
6. Discutes-tu de tes rêves avec tes amis?
7. Es-tu superstitieux (superstitieuse)?
8. As-tu jamais visité une maison hantée (haunted)?
9. As-tu jamais rencontré un fantôme?
10. As-tu l'imagination vive?

11. As-tu du bon sens?
12. Est-ce qu'il y a une rivière près de ton école?
13. Joues-tu souvent près de la rivière?
14. As-tu déjà essayé de sauver la vie de quelqu'un? Qui? Comment? As-tu réussi?
15. As-tu entendu une triste nouvelle récemment?

A ton avis

Es-tu d'accord avec les phrases suivantes?

1. Tout le monde rêve, même si on oublie ses rêves le matin.
2. Les animaux ne rêvent pas.
3. On doit (should) écouter ses rêves. Ils disent souvent la vérité.
4. Les rêves expliquent souvent le passé.
5. Les rêves annoncent souvent les événements futurs.
6. Les fantômes n'existent pas.
7. L'imagination vive est un défaut.
8. Tout le monde doit apprendre à nager.
9. Il est dangereux de nager seul.
10. Si la vie de quelqu'un est en danger, sautez immédiatement dans l'eau pour le sauver.

A faire et à discuter

1. «Il faut croire au surnaturel. Il y a trop d'événements qu'on ne peut pas expliquer autrement.» Etes-vous d'accord? Pourquoi?
2. Est-ce que la mère d'Hélène va croire que sa fille a rencontré Gisèle le jour après sa mort? Qu'est-ce qu'elle va lui dire?
3. Imaginez qu'Hélène ne va pas à l'école mais qu'elle va à la rivière avec Gisèle. Qu'est-ce qui se passe?
4. Gisèle est morte. A ton avis, comment et pourquoi?

169

POT-POURRI

A. Composition orale

Une situation délicate

B. Lisez l'histoire suivante. Changez l'histoire en remplaçant **je** par:
a) Michel;
b) Lucie et Larry;
c) nous.

Faites tous les autres changements nécessaires. Quelle journée!

1. Ce matin je n'ai pas mangé.
2. J'ai quitté la maison en retard.
3. J'ai attendu l'autobus pendant vingt minutes.
4. A l'école, je n'ai pas fini mon test de maths.
5. Je n'ai rien mangé à midi parce que j'ai oublié mon lunch chez moi.
6. Dans la classe d'anglais, je n'ai pas entendu le professeur.
7. Alors je n'ai pas répondu correctement à sa question.
8. J'ai rougi devant mes amis.
9. Après les classes, j'ai marché à la maison parce que j'ai perdu mon argent pour l'autobus.
10. A la maison, je n'ai pas trouvé mes clés et j'ai attendu mes parents devant la maison.
11. Ce soir j'ai regardé un match de hockey à la télé.
12. Naturellement, mon équipe favorite a perdu le match.
13. Je n'ai pas aimé ma journée aujourd'hui.

171

C. Demande à un(e) autre élève de la classe ce qu'il (elle):

1. a acheté hier.
2. a fini aujourd'hui.
3. a mangé ce matin.
4. a perdu cette semaine.
5. a regardé à la télé hier soir.
6. a étudié pour aujourd'hui.
7. a entendu ce matin.
8. a rêvé cette nuit.
9. a vendu ce mois.
10. a oublié hier.
11. a écouté à la radio hier après-midi.
12. a choisi comme cadeau pour son professeur de français.
13. a trouvé intéressant(e) à l'école aujourd'hui.

D. Mettez les phrases suivantes au présent.

Exemple
Les éléphants **ont mangé** des arachides.
Les éléphants **mangent** toujours des arachides.

1. Vous **avez choisi** un gâteau au chocolat.
2. David et Jean **ont attendu** leurs copains au restaurant.
3. Les chanteurs **ont joué** de la guitare.
4. On **a rempli** les verres d'eau froide.
5. L'hôtesse **a répondu** à toutes les questions.
6. Tu **as obéi** aux instructions.
7. J'**ai grossi** au mois de décembre.
8. Nous **avons entendu** la voix d'un voleur.
9. Vous **avez éclaté** de rire.
10. Le chien **a saisi** le journal.

A. Etes-vous superstitieux (superstitieuse)?

Faites ce petit test pour découvrir si vous êtes superstitieux.

1. Traversez-vous la rue quand vous voyez un chat noir?
2. Est-ce que vous faites un détour pour ne pas passer sous une échelle?
3. Est-ce que vous portez un vêtement spécial ou un pied de lapin le jour des examens?
4. Avez-vous peur du numéro 13?
5. Etes-vous toujours malchanceux le vendredi 13?
6. Touchez-vous du bois?
7. Croyez-vous que si vous tuez une araignée, il va pleuvoir?
8. Est-ce que vous évitez de marcher sur les crevasses du trottoir?
9. Croyez-vous que si vous cassez un miroir, vous invitez sept années de mauvaise chance?
10. Faites-vous des choses bizarres quand il y a la pleine lune?
11. Est-ce que vous refusez d'ouvrir un parapluie dans la maison?
12. Croyez-vous que si vous touchez un crapaud, vous allez avoir des verrues?
13. Refusez-vous de faire cet exercice parce qu'il y a 13 questions sur la page?

Si vous répondez « Oui » à toutes ces questions, vous êtes vraiment superstitieux (superstitieuse).

B. Lecture

Louis Cyr (1863-1912)
Le Samson du Canada

Louis Cyr, un Canadien né dans le petit village de Saint-Cyprien de Napierville, Québec, a étonné le monde par sa force. Fort comme un boeuf, il était capable de soulever des poids fantastiques. Partout dans le monde, on parle encore des exploits extraordinaires de Louis Cyr.

Il a poussé tout seul un wagon chargé.

Il a soulevé avec son dos une plate-forme de 1969 kg.

Il a soulevé avec une seule main, jusqu'aux épaules, un baril de ciment de 197 kg.

Il a soulevé avec un seul doigt un poids de 242 kg.

Il a résisté à la force de quatre gros chevaux.

Il a fait tourner en l'air deux hommes agrippés à ses cheveux.

Jamais vaincu pendant sa vie, Louis Cyr reste aujourd'hui un des personnages les plus célèbres et fascinants du Canada.

VOCABULAIRE ACTIF

Noms (masculin)

l'arbre	le corps	l'oiseau
le cauchemar	le meurtre	le rêve
le chemin		

Noms (féminin)

les nouvelles	la rivière	la voix

Verbes

plonger	saisir	tirer
pousser	sortir	tuer
rencontrer		

Adjectifs

mort(e)

Adverbes

aujourd'hui	hier	souvent
en retard	là-bas	tout à coup
fort		

Prépositions

au milieu de	sans	vers

Conjonctions

comme

Expressions

avoir envie de	éclater de rire

APPENDICE

Verbes

Les verbes réguliers (Regular Verbs)

Infinitif	**parler** *to speak*	**finir** *to finish*	**répondre** *to answer*
Impératif	parle parlons parlez	finis finissons finissez	réponds répondons répondez
Présent	je parle tu parles il parle elle parle on parle nous parlons vous parlez ils parlent elles parlent	je finis tu finis il finit elle finit on finit nous finissons vous finissez ils finissent elles finissent	je réponds tu réponds il répond elle répond on répond nous répondons vous répondez ils répondent elles répondent
Passé composé	j'ai parlé tu as parlé il a parlé elle a parlé on a parlé nous avons parlé vous avez parlé ils ont parlé elles ont parlé	j'ai fini tu as fini il a fini elle a fini on a fini nous avons fini vous avez fini ils ont fini elles ont fini	j'ai répondu tu as répondu il a répondu elle a répondu on a répondu nous avons répondu vous avez répondu ils ont répondu elles ont répondu

Les verbes avec changement d'orthographe (Verbs with spelling changes)

acheter *to buy* (**peser** *to weigh*)

Présent	j'achète, tu achètes, il/elle/on achète, nous achetons, vous achetez, ils/elles achètent
Passé composé	j'ai acheté

appeler *to call*

Présent	j'appelle, tu appelles, il/elle/on appelle, nous appelons, vous appelez, ils/elles appellent
Passé composé	j'ai appelé

commencer *to begin* (and all verbs ending in -cer)

Présent	je commence, tu commences, il/elle/on commence, nous commençons, vous commencez, ils/elles commencent
Passé composé	j'ai commencé

essayer *to try* (and all verbs ending in -ayer, -oyer, -uyer)

Présent	j'essaie, tu essaies, il/elle/on essaie, nous essayons, vous essayez, ils/elles essaient
Passé composé	j'ai essayé

jeter *to throw*

Présent	je jette, tu jettes, il/elle/on jette, nous jetons, vous jetez, ils/elles jettent
Passé composé	j'ai jeté

lever *to raise*

Présent	je lève, tu lèves, il/elle/on lève, nous levons, vous levez, ils/elles lèvent
Passé composé	j'ai levé

manger *to eat* (and other verbs ending in -ger)

Présent	je mange, tu manges, il/elle/on mange, nous mangeons, vous mangez, ils/elles mangent
Passé composé	j'ai mangé

préférer *to prefer* (**répéter** *to repeat*, etc.)

Présent	je préfère, tu préfères, il/elle/on préfère, nous préférons, vous préférez, ils/elles préfèrent
Passé composé	j'ai préféré

Les verbes irréguliers (Irregular verbs)

aller *to go*
Présent   je vais, tu vas, il/elle/on va, nous allons, vous allez, ils/elles vont

avoir *to have*
Présent   j'ai, tu as, il/elle/on a, nous avons, vous avez, ils/elles ont

battre *to hit*
Présent   je bats, tu bats, il/elle/on bat, nous battons, vous battez, ils/elles battent

boire *to drink*
Présent   je bois, tu bois, il/elle/on boit, nous buvons, vous buvez, ils/elles boivent

connaître *to know* (**disparaître** *to disappear*)
Présent   je connais, tu connais, il/elle/on connaît, nous connaissons, vous connaissez, ils/elles connaissent

courir *to run*
Présent   je cours, tu cours, il/elle/on court, nous courons, vous courez, ils/elles courent

croire *to believe*
Présent   je crois, tu crois, il/elle/on croit, nous croyons, vous croyez, ils/elles croient

devoir *to owe, to have to*
Présent   je dois, tu dois, il/elle/on doit, nous devons, vous devez, ils/elles doivent

dire *to say, to speak, to tell*
Présent   je dis, tu dis, il/elle/on dit, nous disons, vous dîtes, ils/elles disent

dormir *to sleep*
Présent   je dors, tu dors, il/elle/on dort, nous dormons, vous dormez, ils/elles dorment

écrire *to write* (**décrire** *to describe*)
Présent   j'écris, tu écris, il/elle/on écrit, nous écrivons, vous écrivez, ils/elles écrivent

être *to be*
Présent   je suis, tu es, il/elle/on est, nous sommes, vous êtes, ils/elles sont

faire *to do, to make*
Présent   je fais, tu fais, il/elle/on fait, nous faisons, vous faites, ils/elles font

	falloir *to be necessary*
Présent	il faut

	lire *to read*
Présent	je lis, tu lis, il/elle/on lit, nous lisons, vous lisez, ils/elles lisent

	mettre *to put*
Présent	je mets, tu mets, il/elle/on met, nous mettons, vous mettez, ils/elles mettent

	ouvrir *to open*
Présent	j'ouvre, tu ouvres, il/elle/on ouvre, nous ouvrons, vous ouvrez, ils/elles ouvrent

	partir *to leave, to go away* (**sortir** *to leave*)
Présent	je pars, tu pars, il/elle/on part, nous partons, vous partez, ils/elles partent

	pleuvoir *to rain*
Présent	il pleut

	pouvoir *to be able*
Présent	je peux, tu peux, il/elle/on peut, nous pouvons, vous pouvez, ils/elles peuvent

	prendre *to take* (**apprendre** *to learn*, **comprendre** *to understand*)
Présent	je prends, tu prends, il/elle/on prend, nous prenons, vous prenez, ils/elles/prennent

	rire *to laugh*
Présent	je ris, tu ris, il/elle/on rit, nous rions, vous riez, ils/elles rient

	savoir *to know*
Présent	je sais, tu sais, il/elle/on sait, nous savons, vous savez, ils/elles savent

	suivre *to follow*
Présent	je suis, tu suis, il/elle/on suit, nous suivons, vous suivez, ils/elles suivent

	venir *to come*
Présent	je viens, tu viens, il/elle/on vient, nous venons, vous venez, ils/elles viennent

	voir *to see*
Présent	je vois, tu vois, il/elle/on voit, nous voyons, vous voyez, ils/elles voient

	vouloir *to want*
Présent	je veux, tu veux, il/elle/on veut, nous voulons, vous voulez, ils/elles veulent

Chiffres (Numbers)

0	zéro	23	vingt-trois	74	soixante-quatorze
1	un, une	24	vingt-quatre	75	soixante-quinze
2	deux	25	vingt-cinq	76	soixante-seize
3	trois	26	vingt-six	77	soixante-dix-sept
4	quatre	27	vingt-sept	78	soixante-dix-huit
5	cinq	28	vingt-huit	79	soixante-dix-neuf
6	six	29	vingt-neuf	80	quatre-vingts
7	sept	30	trente	81	quatre-vingt-un
8	huit	31	trente et un	82	quatre-vingt-deux
9	neuf	32	trente-deux	90	quatre-vingt-dix
10	dix	40	quarante	91	quatre-vingt-onze
11	onze	41	quarante et un	92	quatre-vingt douze
12	douze	42	quarante-deux	100	cent
13	treize	50	cinquante	101	cent un
14	quatorze	51	cinquante et un	102	cent deux
15	quinze	52	cinquante-deux	200	deux cents
16	seize	60	soixante	201	deux cent un
17	dix-sept	61	soixante et un	202	deux cent deux
18	dix-huit	62	soixante-deux	1 000	mille
19	dix-neuf	70	soixante-dix	2 000	deux mille
20	vingt	71	soixante et onze	2 100	deux mille cent
21	vingt et un	72	soixante-douze	1 000 000	un million
22	vingt-deux	73	soixante-treize	1 000 000 000	un milliard

Jours de la semaine (Days of the week)

lundi   mardi   mercredi   jeudi   vendredi   samedi   dimanche

Mois de l'année (Months of the year)

janvier   février   mars   avril   mai   juin   juillet   août   septembre   octobre   novembre   décembre

C'est aujourd'hui le lundi quatorze juillet mil neuf cent (dix-neuf cent) quatre-vingts.
Today is Monday, July 14, 1980.

L'heure (Time)

Il est une heure.	It is one o'clock
Il est deux heures.	It is two o'clock.
Il est trois heures.	It is three o'clock.
Il est quatre heures.	It is four o'clock.
Il est cinq heures.	It is five o'clock.
Il est six heures.	It is six o'clock.
Il est sept heures.	It is seven o'clock.
Il est huit heures.	It is eight o'clock.
Il est neuf heures.	It is nine o'clock.
Il est dix heures.	It is ten o'clock.
Il est onze heures.	It is eleven o'clock.
Il est midi.	It is noon.
Il est minuit.	It is midnight.
Il est une heure cinq.	It is five minutes past one.
Il est deux heures et quart.	It is a quarter past two.
Il est trois heures et demie.	It is half past three.
Il est quatre heures moins vingt-cinq.	It is twenty-five minutes to four.
Il est midi moins le quart.	It is a quarter to twelve.
Il est quatre heures moins cinq.	It is five minutes to four.

Vocabulaire

Le numéro indique l'unité dans laquelle le mot ou l'expression paraît pour la première fois. La lettre A après le numéro de l'unité indique que le mot fait partie du vocabulaire actif.

The number after each entry indicates the unit in which the word or expression appears for the first time. The letter A after the unit number indicates that the word is an active vocabulary word.

à   to, at   1
___ **cause de**   because of   1
___ **côté de**   beside   2
___ **la mode**   in style, in fashion   1
accentué, -e   emphasized   4
accident m.   accident   3
accord m.   agreement
  d'accord   O.K., All right   3
  être d'___   to agree   3A
accordéon m.   accordion   1
acheter   to buy   1A
acteur m.   actor   1
activité f.   activity   1
actrice f.   actress   1
adjectif m.   adjective   1
  ___ **démonstratif**   demostrative adjective   2
  ___ **possessif**   possessive adjective   4
admirer   to admire   5
adorer   to adore, to like   1A
adresse f.   address   1
affamé, -e   starving   4
afficher   to hang posters, signs   2
affiche f.   poster, sign   2
affirmatif, affirmative   affirmative   1
Afrique f.   Africa   5
âge m.   age   2
  Quel ___ avez-vous?   How old are you?   2
agité, -e   agitated, upset   6
agrippé, -e   holding on to   6
aide f.   help   1
  à l'___ de   with the help of   1
aider   to help   1
ailleurs   elsewhere
  d'___   besides, moreover   2
air m.   air   5
  en l'___   in the air   6
  en plein ___   outside, outdoors   5A
ajouter   to add   3

Alberta m.   Alberta   1
aliment m.   food   4
Allemagne f.   Germany   4
allemand, -e   German   4A
Allemand, -e m. & f.   a German   4A
aller   to go   4A
allergie f.   allergy   5
s'allonger   to stretch out   5
allumette f.   match   5
alors   then   2
alouette f.   lark (bird)   2
américain, -e   American   4A
Américain, -e m. & f.   an American   4A
ami, -e m. & f.   friend   1
amicalement   with affection   1
amusant, -e   fun, funny, amusing, comical   1, 3A
an m.   year   3
  avoir 10 ___s   to be 10 years old   2A
analyse f.   analysis   6
ange m.   angel   3
anglais m.   English language   1, 3A
anglais, -e   English   4A
Anglais, -e m. & f.   an Englishman, Englishwoman   4A
Angleterre f.   England   4
animal m.   animal   1
année f.   year   2, 5A
  à l'___ longue   all year round   5
  Bonne ___   Happy New Year   3
anniversaire m.   birthday   1
  Bon ___   Happy Birthday   3
annonce f.   sign   2
annoncer   to announce   6
anxieux, anxieuse   anxious, nervous   4A
août m.   August   3
apéritif m.   a before dinner drink   4, 5A
appareil (photographique) m.   camera   5
apparence f.   appearance   4
appartement m.   apartment   1
s'appeler   to be called, to be named   1
apprendre   to learn   3A
après   after   1
après-midi m.   afternoon   3A
arachide m.   peanut   2
araignée f.   spider   6
arbre m.   tree   2, 6A
argent m.   money   1A
  ___ **de poche**   allowance, pocket money   1
arrivée f.   arrival   2
arriver   to arrive   1

art m.   art   2
article m.   article   1
  ___ **défini**   definite article   1
  ___ **indéfini**   indefinite article   1
artistique   artistic   1
assez   enough   1, 3A
  ___ **de**   enough   3A
  j'en ai ___   I have (I've had) enough   1
assiette f.   plate   4
athlète m.   athlete   4
s'attacher   to rely on, to be attached to   3
attendre   to wait, to wait for   3A
attention f.   attention   3
  faire ___ à   to pay attention   1A
attitude f.   attitude   1
attraction f.   attraction   5
  ___ **touristique**   tourist attraction   5
augmenter   to increase   2
aujourd'hui   today   1, 6A
aussi   also   1
auto f.   car   1
  en ___   by car   2
autobus m.   bus   1
  en ___   by bus   2A
autre   other   2A
autrement   otherwise   6
avant   before   2
avec   with   1
aventure f.   adventure   5A
avion m.   airplane   1
  en ___   by plane   2
  billet d'___   plane ticket   5
avis m.   opinion   1
  à mon ___   in my opinion   1
avoir   to have   1, 2A
  ___ **10 ans**   to be 10 years old   2A
  ___ **besoin de**   to need   2A
  ___ **chaud**   to be hot   2A
  ___ **de la chance**   to be lucky   2A
  ___ **envie de**   to want   6A
  ___ **faim**   to be hungry   2A
  ___ **froid**   to be cold   2A
  ___ **peur**   to be afraid   2A
  ___ **raison**   to be right   2A
  ___ **soif**   to be thirsty   2A
  ___ **tort**   to be wrong   2A
avril m.   April   2

bacon m.   bacon (French-Canadian)   2
se baigner   to go swimming   3
balle f.   ball   1
ballet m.   ballet   1

184

ballon m.   baloon   3
banane f.   banana   1
banque f.   bank   2
barbare m.   barbarian   2
barbe f.   beard   2A
baril m.   barrel   6
baseball m.   baseball   1
bateau m.   boat   2
　___ à voile   sailboat   3
　en ___   by boat   2A
bâton m.   stick   1
　___ de hockey m.   hockey stick   1
batterie f.   drums   1A
battre   to hit   1
beau, bel, belle, beaux, belles   beautiful,
nice   2
　faire ___   to be nice (weather)   3A
beaucoup   very much, a lot   1, 3A
　___ de   a lot of   3A
Beaujolais m.   Beaujolais wine   4
beauté f.   beauty   4
bébé m.   baby   1
beigne m.   doughnut   4A
bête f.   beast, animal   2A
beurre m.   butter   2
bibliothèque f.   library   2
bicyclette f.   bicycle   1
　à ___   by bike   2A
bien   well   1
　___ sûr   certainly   2
bientôt   soon   2
bilingue   bilingual   2, 5A
biscuit m.   cookie   1
　___ digestif   digestive biscuit   2
　___ granola m.   granola cookie   2
　___ pour chien   dog biscuit   3
bizarre   bizarre, strange   6
blanc, blanche   white   2
bleu, -e   blue   2
blond, -e   blond   1
blouse f.   blouse   1
blue-jeans m. pl.   blue jeans   1
bœuf m.   beef   4; bull   6
boire   to drink   2
bois m.   woods, forest   3
bol m.   bowl   4
bon, bonne   good   1A
bonbon m.   candy   2
bondir   to jump   4A
bonheur m.   happiness   5A
bonhomme de neige m.   snowman   3
bord m.   edge, bank   6

au ___ de   by, at the edge of, on the
bank of   6
boucher m.   butcher   2
boussole f.   compass   5
bout m.   end   2A
bouteille f.   bottle   4
boutique f.   boutique   1
branche f.   branch   6
bras m.   arm   2
bruit m.   noise   1A
brûler   to burn   3
brun, -e   brown   1
bulletin m.   report card   3A

ça   this, that
　Ça suffit!   That's enough!   5
cadeau m.   present, gift   1
　___ d'anniversaire   birthday
present   1
café m.   coffee   2
cafétéria f.   cafeteria   2
cage f.   cage   6
cahier m.   notebook   1
calorie f.   calorie   4
camion m.   truck   5
camionnette f.   van, small truck   5A
campagne f.   country, countryside   5
　à la ___   in the country   5
camping m.   camping   1
Canada m.   Canada   1
canadien, -ne   Canadian   4A
Canadien, -ne m. & f.   a Canadian   1, 4A
capable   capable   3
capitale f.   capital   1
caractère m.   letter, type   1
　en ___s gras   in bold typeface   1
carnaval m.   carnival   1
carotte f.   carrot   1
carte f.   card   1; map   5A
　___ postale   postcard   1
cas m.   case, instance   4
casser   to break   6
cassette f.   cassette   1
cassonade f.   brown sugar   4
catégorie f.   category   4
catholique   Catholic   5
cauchemar m.   nightmare   6A
cause f.   cause   6
　à ___ de   because of   6
causer   to cause   1
ce, cet, cette, ces   this, that, these   3A
célèbre   famous   1

centimètre m.   centimetre   4
centre m.   centre   5A
céréale f.   cereal   2
certainement   certainly   2
chacun, -e   each one, every one   4
　___ à son goût   to each his own   5A
chaise f.   chair   1
chambre f.   bedroom   1
champagne m.   champagne   5
chance f.   luck   6
　avoir de la ___   to be lucky   2A
changer   to change   1
chanson f.   song   1
chant m.   song, singing   2
chanter   to sing   1A
chanteur m.   singer   1A
chapeau m.   hat   2
chaque   each, every   1
charmant, -e   charming   1
chasse-insectes m.   insect repellent   5
chasser   to hunt, to chase   5A
chat m.   cat   1
　___ tigré   tabby cat   4
chaud, -e   warm, hot   3A
　avoir ___   to be hot (person)   2A
　faire ___   to be warm, hot
(weather)   3A
chauffeur m.   driver
　___ de taxi   taxi driver   1
chef m.   chef   6
chemin m.   path   6A
chemise f.   shirt   1
chèque m.   cheque
　___ de voyage   traveller's cheque   2
cher, chère   dear   1
chercher   to look for   1
chéri, -e m. & f.   dear, dearest   5A
cheval m.   horse   2
　à ___   on horseback   2A
cheveux m. pl.   hair   2
chez   at, at (to) the home of   1
chic   elegant, in style   1
　Chic alors!   Terrific! Great!   1
chien m.   dog   1
Chine f.   China   1
chinois, -e   Chinese   4A
Chinois, -e m. & f.   a Chinese person   4A
chocolat m.   chocolate   2
　___ suisse   Swiss chocolate, cocoa   4
choisir   to choose   4A
choix m.   choice   2
chose f.   thing   2

chouette great, super, fantastic 1
cigarette f. cigarette 1
ciment m. cement 6
cinéma m. show, cinema 2
circonstance f. circumstance 6
circulaire round, circular 1
civilisé, -e civilized 2
clair, -e clear 6
clarinette f. clarinet 1
classe f. class 1
classique classical 1
clé f. key 3
climat m. climate 2A
club m. club 1
coin m. corner 4, 5A
coincidence f. coincidence 6
coke m. coke 2
collectionner to collect 1
Colombie Britannique f. British Columbia 1
colon m. colonist, settler 2
colonie f. colony 2
—— **de vacances** summer camp 5
combien how much, how many 1
comique funny 1
commander to order 4
comme as, like 2, 6A
commencer to begin 2
commentaire m. comment 3
commerçant m. tradesman 2
commun, -e common 4
compagnie f. company 1
complet, complète complete 2
compléter to complete 1
composition f. composition 1
comprendre to understand 2, 3A
compter to count 3, 4A
concert m. concert 1
Concorde m. Concord airplane 3
confus, -e confused 6
connaître to know, to be familiar with 3
conscient, -e aware 2
conséquent m. consequence 4
par —— consequently 4
content, -e happy, contented 1
contraire m. opposite 3
contre against 3
convenir to suit 1
coopératif, coopérative co-operative 5
copier to copy 2
coq au vin m. coq au vin, chicken in wine sauce 4

copain m. friend 3A
corps m. body 6A
correct, -e correct, right 1
corriger to correct 2
costume de bain m. bathing suit 2
couleur f. colour 6
coup m. blow, hit
tout à —— all of a sudden 6A
couper to cut, to chop 5
couple m. couple 2
cours m. course (school) 3
courage m. courage 3
courageux, courageuse brave, courageous 2
courir to run 4A
course f. race 2, 5A
cousin m. male cousin 4
cousine f. female cousin 3
coûter to cost 6
couture f. sewing
maison de haute —— fashion house 6
crapaud m. toad 6
cravate f. tie 4
crayon m. pencil 1
crème f. cream 5
—— **glacée** f. ice cream 2
—— **solaire** f. suntan lotion 6
crevasse f. crack 6
crier to scream, to shout 1
croire to believe 3
croustille f. potato chip 2
cru, -e raw 2
cuiller f. spoon 5
cuire to cook 4
cuisine f. kitchen 1
faire la —— to cook 3A
cuisse f. thigh 4A

d'accord O.K. All right 3
d'ailleurs moreover, besides 2
dame f. woman, lady 1
Danemark m. Denmark 1
danger m. danger 2
dangereux, dangereuse dangerous 6
danois, -e Danish 4A
Danois, -e m. & f. a Dane 4A
dans in 1
danser to dance 1
danseur m. dancer 1
date f. date 6
de from, of, out of 1
début m. beginning 3

décider to decide 6
décision f. decision 2
prendre une —— to make a decision 3
déclarer to declare 5
découvrir to discover 6
décrire to describe 1
défaut m. fault, weakness 1
défense defence
—— **de fumer** no smoking 2
dégoûtant, -e disgusting 2A
déjà already 2A
déjeuner m. lunch; breakfast (French-Canadian) 2
petit —— breakfast 2
délicat, -e delicate 6
délicieux, délicieuse delicious 4A
demain tomorrow 2A
à —— see you tomorrow 3
demander to ask for 1
démon m. devil, demon 3
démonstratif, démonstrative demonstrative 3
adjectif —— demonstrative adjective 3
dentiste m. & f. dentist 1
départ m. departure 2
dépasser to pass, to go beyond 5
se **dépêcher** to hurry 6
dépendre to depend 3
ça dépend it depends 3
dépenser to spend (money) 1A
dernier, dernière last 2A
derrière behind 4
descendre to descend, come down 3
désirable desirable 2
désirer to want 1A
désordre m. disorder 3
dessert m. dessert 2
dessiner to draw 1
détester to hate 1A
détour m. detour 6
deuxième second 2
devant in front of 1
développer to develop 6
devoir should, ought to 6
devoirs m. pl. homework 3A
faire ses —— to do one's homework 3A
dialogue m. dialogue 1
difficile hard, difficult 1, 5A
difficulté f. difficulty 1
digestion f. digestion 1

186

dîner m. dinner; noon meal (French-Canadian) 3
diplomatique diplomatic, tactful 5
dire to say 1
direct, -e direct 5
   pronom complément d'objet ___ direct object pronoun 5
directeur m. principal (of a school) 3A
direction f. direction 6
discothèque f. discotheque 1
discuter to discuss 1
disparaître to disappear 2
dispute f. dispute, argument 1
disque m. record 1A
divisé, -e divided 4
docteur m. doctor 2
doigt m. finger 6
dollar m. dollar 1
domaine m. domain, area 4
domestique domestic 1
donner to give 2
   donné given 1
se donner to be given 3
dormir to sleep 2
dos m. back 6
douane f. customs 5
   passer la ___ to go through customs 5
douche f. shower 4A
drogue m. drug 5
droit, -e right 2
dur, -e hard; difficult 2
durant during 3

eau f. water 2
échelle f. ladder 6
échouer (à) to fail 1
éclater to burst 6A
   ___ de rire to burst out laughing 6A
école f. school 1, 3A
écossais, -e Scottish 4A
Ecossais, -e m. & f. a Scotsman (woman) 4A
Ecosse f. Scotland 4
écouter to listen to 1A
écrire to write 2
éducation f. education 2
   ___ physique f. physical education 3A
effet m. effect 4
effort m. effort 3
église f. church 5A
égoïste conceited, self-centred 3

élégant, -e elegant 1
éléphant m. elephant 1
élève m. & f. pupil 1
elle she 1; her 4
elles they 1; them 4
embarquer to board 5
émission f. program (TV, radio) 1A
employer to use 1
encourager to encourage 2
s'endurcir to harden, to toughen up 3
énergie f. energy 3
énergique energetic 1
enfant m. & f. child 1, 2A
enfin finally 2
ennuyant, -e boring 3A
ennuyeux, ennuyeuse boring, tiresome 3
énorme huge, enormous 2A
enrichissement m. enrichment 1
ensemble together 2A
ensuite then, afterwards 4
entendre to hear 3A
entrée f. entrance 6
entrer (dans) to enter 2
envie f. desire
   avoir ___ de to want (to) 6A
épaule f. shoulder 2A
épouse f. spouse, wife 2
épouser (quelqu'un) to marry (someone) 2A
époux m. spouse, husband 2
équipe f. team 3A
escargot m. snail 4
Espagne f. Spain 1
espagnol m. Spanish language 1
espagnol, -e Spanish 4
Espagnol, -e m. & f. a Spaniard 4
essuyer to clean, to wipe, to dry 2
Etats-Unis m. pl. United States 1
été m. summer 2, 3A
   en ___ in summer 3A
étonner to astound, to astonish 6
étranger, étrangère foreign, strange 5
étranger m. stranger 5
   à l'___ abroad 5
être to be 1
   ___ d'accord to agree 1, 3A
   ___ en bonne santé to be healthy 4A
   ___ en forme to be in good shape 4A
études f. pl. studies 1
étudiant, -e m. & f. student 2, 3A
étudier to study 1A

Europe f. Europe 5
eux m. them 4
événement m. event 6
éviter to avoid 6
exactement exactly 6
examen m. exam 1A
   réussir à un ___ to pass an exam 4A
examiner to examine 6
excellent, -e excellent 2
excursion f. trip, excursion 5
   ___ à pied hike 5
s'excuser to excuse oneself 2
exemple m. example 1
exercice m. exercise 1
exister to exist 3
exotique exotic 5
expliquer to explain 2
exploit m. exploit, feat 6
explorer to explore 5
exposition f. show, display 2
   ___ d'art art show 2
expression f. expression 3
extra terrific, super (short form of extraordinaire) 1
extraordinaire extraordinary 6
extravagant, -e extravagant 5

face à with regard to 5
facilement easily 4
fâché, -e angry 1
façon f. way 3
faire to do, to make 1, 3A
   ___ attention (à) to pay attention (to) 3A
   ___ beau to be nice (weather) 2, 3A
   ___ de la bicyclette to go bicycling 4
   ___ du camping to go camping 3
   ___ la cuisine to cook 3A
   ___ chaud to be hot (weather) 3A
   ___ ses devoirs to do one's homework 3A
   ___ des exercices to do exercises 4
   ___ de l'exploration sous-marine to go scuba diving 5
   ___ frais to be cool (weather) 3A
   ___ froid to be cold (weather) 3A
   ___ de la gymnastique to do gymnastics, exercises 4A
   ___ l'imbécile to act up, to act silly 3
   ___ mauvais to be miserable (weather) 3A
   ___ le ménage to do housework 3A

187

__ **de la natation** to go swimming 4A

__ **un pique-nique** to go on a picnic 5A

__ **une promenade** to take a walk 3A

__ **des réparations** to make repairs 3A

__ **un safari** to go on a safari 5

__ **du ski** to go skiing 5

__ **du ski nautique** to go waterskiing 5

__ **du soleil** to be sunny (weather) 3A

__ **le tour** to go all around, to take a tour

il fait le tour de la ville he takes a tour of the city

__ **la vaisselle** to do the dishes 3A

__ **du vent** to be windy (weather) 3A

__ **de la voile** to go sailing 5A

falloir to be necessary, must, have to 6

il faut it's necessary 6

familial, -e, familiaux family 3

famille f. family 1

fantastique fantastic 1

fantôme m. ghost 6

fascinant, -e fascinating 6

fatigué, -e tired 1A

faux, fausse false 2

favori, favorite favourite 3

félicitations f. pl. congratulations 3

féminin, -e feminine 1

femme f. woman, wife 2

fenêtre f. window 1

ferme f. farm 5

ferme firm 4

fermer to close 2

fermier m. farmer 2

féroce fierce 2

fête f. party; festival; birthday (French-Canadian) 1

fête des mères Mother's Day 3

feu m. fire 5

fève f. bean 4

__s **au lard** pork and beans 4

fille f. girl 1; daughter 4

film m. film 1

fils m. son 4A

finir to finish 4A

fleur f. flower 1

Floride f. Florida 5

flûte f. flute 1

fois f. time 3A

une __ par semaine once a week 3

fondé, -e based 6

football m. football (French-Canadian), soccer (France) 2

force f. strength 6

forêt f. forest 2A

forme f. form, shape 1, 4A

être en __ to be in good shape, to be fit 4A

former to form 1

formidable great, terrific 1

formule f. form 4

fort, -e strong 2A

fort adv. hard, diligently 6A

fou, folle crazy 1

fouinard m. Nosy Parker 1

fourchette f. fork 2

fourrure f. fur 2

frais, fraîche fresh, cool 4A

faire __ to be cool (weather) 3A

franc, franche frank 3

français m. French language 1

français, -e French 1

Français, -e m. & f. a Frenchman, Frenchwoman 4

France f. France 1

franchement frankly 1

frère m. brother 1

frites f. French fries 2

froid, -e cold 2

faire __ to be cold (weather) 3A

fruit m. fruit 1

fumer to smoke 4A

furieux, furieuse furious, angry 4A

futur, -e future 6

gagner to win, to earn 2A

__ **la vie** to earn a living 2

gang m. gang 3

garage m. garage 1

garçon m. boy 1

garde f. watch, care, custody, guard 1

En __! On guard! (fencing term) 1

gare f. railway station 3A

gâteau m. cake 2

__ **au chocolat** chocolate cake 5

gauche left 2

généreux, généreuse kind, generous 1

genre m. kind, type 1

gentil, gentille nice, kind 2

gens m. pl. people 4

géographie f. geography 1, 3A

golfe m. golf 1

gomme à mâcher f. chewing gum 2

gourmand, -e glutton 4

goût m. taste 5

chacun à son __ to each his own 5A

gouvernement m. government 2

gouverneur m. governor 2

grammatical, -e grammatical 1

grand, -e big, tall 1

grandir to grow 4A

grand-mère f. grandmother 1

grand-parent m. grandparent 5

grand-père m. grandfather 1

grave serious 4

grossir to get fat, to gain weight 4A

groupe m. group 1A

guitare f. guitar 1A

gymnase m. gymnasium 2

gymnastique f. gymnastics 2

faire de la __ to do gymnastics 4A

* = h aspiré

habitant m. inhabitant 4

habiter to live at, in 2

habitude m. habit, custom

d'__ usually 1

***hache** f. axe 5

hamburger m. hamburger 2

***hanche** f. hip 4A

harmonie f. harmony 1

en __ in harmony 2

***harpe** f. harp 3

heure f. hour 1

heureusement happily, fortunately 5

heureux, heureuse happy 4A

hier yesterday 6A

histoire f. history 1; story 3

hiver m. winter 2A

en __ in winter 2A

***hockey** m. hockey 1

homme m. man 1, 2A

honnête honest 1

hôpital m. hospital 1

horrifiant, -e horrifying, frightening 6

hôtel m. hotel 2

ici here 1

idéal, -e ideal 1

idée f. idea 1

idole m. & f. idol 1

188

il he 1
  il y a there is, there are 1
île *f.* island 5A
Ile du Prince-Edouard *f.* Prince Edward Island 1
ils they 1
imaginaire imaginary 3
imaginatif, imaginative imaginative 5
imagination *f.* imagination 3
imaginer to imagine 1
imbécile *m.* imbecile 3
imiter to imitate, to follow 5
immédiatement immediately 2
impatience *f.* impatience 3
impatient, -e impatient 1
impératif *m.* imperative 2
important, -e important 1
impossible impossible 2
indépendance *f.* independance 1
indépendant, -e independent 1
Indien, -ne *m. & f.* an Indian 2
indifférent, -e indifferent 4
indiquer to indicate 1
industrieux, industrieuse industrious 2
infernal, -e infernal 1
infinitif *m.* infinitive 2
inflexible inflexible 5
inquiet, inquiète worried 6
insecte *m.* insect 1
  chasse -____s *m.* insect repellent 5
insensible insensitive 3
instant *m.* instant 2
instruction *f.* instruction 6
instrument *m.* instrument 1
insupportable unbearable 1
intellectuel, -le intellectual 1
intelligent, -e intelligent 1
interdit, -e forbidden 2
intéressant, -e interesting 1
interview *f.* interview 3
intime intimate 1
inversion *f.* inversion 3
invitation *f.* invitation 6
inviter to invite 2
irlandais, -e Irish 4A
Irlandais, -e *m. & f.* an Irishman (Irishwoman) 4A
Irlande *f.* Ireland 4
Italie *f.* Italy 1
italien *m.* Italian language 3
italien, -ne Italian 4A
Italien, -ne *m. & f.* an Italian 4

jamais ever, never 2
  ne . . . ____ never 5A
jambe *f.* leg 2
Japon *m.* Japan 1
japonais, -e Japanese 6
jardin *m.* garden 2
jaune yellow 1
jazz *m.* jazz 1
je I 1
jeter to throw 2
  ____ les ordures to litter 2
jeu *m.* game 2
  vieux ____ old fashioned 1
jeune young 1
jouer to play 1A
  ____ aux cartes to play cards 3
  ____ à (+ un sport) to play a sport 2A
  ____ de (+ un instrument de musique) to play a musical instrument 1A
jouet *m.* toy 4
joueur *m.* player 2
jour *m.* day 2, 4A
  par ____ a day, each day, every day 4A
journal *m.* newspaper 1
journaliste *m.* journalist 1
journée *f.* day, daytime 1A
joyeux, joyeuse happy, joyous 4
  Joyeux Noël Merry Christmas 3
juger to judge, to consider, to decide, to weigh (a decision) 5
jungle *f.* jungle 5
jus *m.* juice 2
  ____ de pomme apple juice 2
jusqu'à up to 6
juste fair 1

ketchup *m.* ketchup 2
kilogramme (kilo) *m.* kilogram (kilo) 4
kilomètre *m.* kilometre 6

là there 2
  ____-bas over there, down there 6A
lac *m.* lake 1, 2A
lait *m.* milk 1
lampe *f.* lamp 3
langue *f.* language 5A
lapin *m.* rabbit 6
latin *m.* latin 5
laver to wash 3
le, l', la, les the 1
légume *m.* vegetable 1

lent, -e slow 5
lentement slowly 6
lettre *f.* letter 1
leur their 4; to them 6
libre free 4
ligne *f.* figure 4
limite *f.* limit 5
limonade *f.* lemonade 2
lire to read 3
liste *f.* list 3
lit *m.* bed 3A
livre *m.* book 1
  ____ de poche paperback book 1
lion *m.* lion 2
logique logical 3
long, longue long 3
  le ____ de along 5
loterie *f.* lottery 2
louer to rent 5A
lui him 4; to him, to her 6
lune *f.* moon 6
  la pleine ____ full moon 6
lunettes *f. pl.* eye-glasses 5
  ____ solaires sunglasses 5

machine *f.* machine 3
  ____ à laver washing machine 3A
madame (Mme) *f.* Mrs 1
mademoiselle (Mlle) *f.* Miss 1
magasin *m.* store 1
magnifique magnificent 1
maigre skinny, thin 4A
  ____ comme un clou thin as a rail, skinny as a rake 4
maigrir to lose weight, slim down 4A
maillot de bain *m.* bathing suit 5
main *f.* hand 6
maintenant now 2
mais but 2
maison *f.* house 1
  ____ de haute couture fashion house 5
maître *m.* boss 1
malade sick 2
malade *m. & f.* sick person 2
maladie *f.* illness 4
malchanceux, malchanceuse unlucky 6
malheureux, malheureuse unhappy 4A
manger to eat 1
manie *f.* craze, mania, passion 1
Manitoba *m.* Manitoba 1

189

mannequin *m.* fashion model 4
manquer to miss, to be missing 4
marchandise *f.* merchandise 2
marché *m.* market 2, 5A
marcher to walk, to work, run (machine) 1
margarine *f.* margarine 4
mari *m.* husband 2A
mariage *m.* marriage 2
marié, -e married 2
Martinique *f.* Martinique 5
masculin, -e masculine 1
match *m.* game 1, 3A
— de hockey hockey game 1
mathématiques *f. pl.* math 1
matière *f.* school subject, course 3A
matin *m.* morning 1, 3A
mauvais, -e bad 1A
faire — to be bad (weather) 3A
médecin *m.* doctor 4A
médicament *m.* medication 5
mélanger to mix 4
membre *m.* member 1
même same 6
mémoire *f.* memory 3
ménage *m.* housework 3A
faire le — to do housework 3A
mener to lead 6
menant leading 6
mention *f.* mention 6
menu *m.* menu 4
merci thank you 1
mère *f.* mother 1
merveilleux, merveilleuse marvelous, terrific 4
mesurer to measure 4A
Elle mesure 170 cm. She is 170 cm tall 4A
métier *m.* job 2
métro *m.* subway 2
en — by subway 2A
mettre to put 1
meurtre *m.* murder 6A
Mexique *m.* Mexico 1
midi *m.* noon 2
mieux better, best 3
milieu *m.* middle 6A
au — de in the middle of 6A
mince thin 1
minute *f.* minute 2
miroir *m.* mirror 6
modèle *m.* model, example 5

moderne modern 1
modeste modest 1
moi me 2
mois *m.* month 2
moment *m.* moment 4
mon, ma, mes my 1
monde *m.* world 2A
monsieur (M.) *m.* sir, Mr. 1
monstre *m.* monster 6
montagne *f.* mountain 2A
montre *f.* watch 2
montrer to show 6
monument *m.* monument 5
mort *f.* death 2
mort, -e dead 6A
mot *m.* word 1
motocyclette *f.* motorcycle 1
à — by motorcycle 2A
mouton *m.* sheep 2
moyen, -ne average 3
musée *m.* museum 5A
musicien *m.* musician 1A
musique *f.* music 1A

nager to swim 4
naissance *f.* birth 5
natation *f.* swimming 4
faire de la — to swim, to go swimming 4A
nationalité *f.* nationality 1
nature *f.* nature 3
naturel, -le natural 6
naturellement naturally 4
navet *m.* turnip 5
ne no, not 1A
— ... jamais never 5A
— ... pas not 1A
— ... personne no one 5A
— ... plus no longer, not any more 5A
— ... rien nothing 5A
né, -e born 6
négatif, négative negative 1
neiger to snow 2, 3A
nettoyer to clean 6
neuvième ninth 3
en — in the ninth grade 3
nez *m.* nose 2
Noël Christmas 2
Joyeux Noël Merry Christmas 3
le Père — *m.* Santa Claus 2
noir, -e black 1

nom *m.* name 3, 5A
nommer to name 2
non no 1
normale normal 3
normalement normally, usually 3
note *f.* mark, grade 1A
notre, notre, nos our 1
nourriture *f.* food 2A
nous we 1; us 4
nouveau, nouvelle new 1
de — again 6
Nouveau-Brunswick *m.* New Brunswick 1
nouvelle *f.* piece of news 6
Nouvelle-Ecosse *f.* Nova Scotia 1
nouvelles *f. pl.* news 6A
nuit *f.* night 5A
numéro *m.* number 1
— de téléphone *m.* telephone number 1

obéir (à) to obey 4A
obésité *f.* obesity 4
objet *m.* object 1
pronom complément d'—
direct direct object pronoun 5
observation *f.* observation 1
occupé, -e busy 3A
œil *m.* (yeux *pl.*) eye 1
œuf *m.* egg 2
offre *m.* offer 2
oignon *m.* onion 3
oiseau *m.* bird 6A
omelette *f.* omelette 3
oncle *m.* uncle 4
Ontario *m.* Ontario 1
opéra *m.* opera 1
opinion *f.* opinion 1
optimiste *m. & f.* optimist 5
oral, -e, oraux oral 1
orange *f.* orange 1
ordinaire ordinary 2
ordre *m.* order, command 2
en — in order 6
ordures *f. pl.* garbage 2
organiser to organize 2
orgue *m.* organ (musical instrument) 1A
orpheline *f.* orphan 2
où where 1
oublier to forget 3A
oui yes 1

ouvrir to open 6

pain m. bread 2A
paire f. pair 2
pâle pale 2
pantalon m. pants 4
pantoufle f. slipper 6
papier m. paper 2
paquet m. package 4
parapluie m. umbrella 6
parc m. park 1
parenthèses f. pl. parentheses 1
   entre ___ in parentheses 1
parents m. pl. parents 1
paresseux, paresseuse lazy 3A
parfait, -e perfect 3
parfaitement perfectly 5
parfum m. perfume 5
parler to speak, to talk 1
partenaire m. partner, mate 1
participe m. participle 6
   ___ **passé** past participle 6
participer to participate 3
partie f. party 3
partir to leave 2
partitif m. partitive 2
partout everywhere 1A
pas not
   ne . . . ___ not 1
passage m. passage 1
passé m. past 6
passé, -e past 6
   ___ **composé** past indefinite,
conversational past 6
passeport m. passport 5
passer to spend, to pass 2
se **passer** to happen 6
pâte f. pastry 4
pâtes f. pl. pasta 4
patient, -e patient 1
patinage m. skating 4
patiner to skate 4
pauvre poor 5
payer to pay 2
pays m. country 1, 2A
peau f. skin 5
pêcheur m. fisherman 6
peine f. trouble
   à ___ scarcely, hardly 4A
pelouse f. grass, lawn 2
pendant during 2
pensée f. thought 2

penser to think 1A
penseur m. thinker 2
perdre to lose 3A
   ___ **du poids** to lose weight 4A
père m. father 1
perroquet m. parrot 1
persan m. Persian cat 4
personnage m. person, character
(play) 6
personne f. person 1
   ne . . . ___ no one 5A
personnel, -le personal 1
persuader to persuade 6
peser to weigh 4A
pessimiste m. pessimist 5
petit, -e little, small 1
peu adv. (a) little 3
peut-être perhaps, maybe 2, 5A
photo f. photograph, picture 1
phrase f. sentence 1
physique physical 4
piano m. piano 1A
pied m. foot 2
   à ___ on foot 2A
piéton m. pedestrian 2
pilule f. pill 5
pique-nique m. picnic 5
   faire un ___ to go on a picnic 5A
pittoresque quaint, picturesque 5
pizza f. pizza 2
place f. place, spot, seat 1
   à la ___ **de** instead of, in place of 1
plan m. plan 2
plante f. plant 5
plat, -e flat 4A
plate-forme f. platform 6
plein, -e full
   en ___ **air** outside, outdoors 5A
pleurer to cry 1
pleuvoir to rain 3A
   il pleut 3A
plonger to dive 6A
pluie f. rain 3
plupart f. the most part 3
pluriel m. plural 1
plus more 1
   ne . . . ___ no longer, not any
   more 5A
   non ___ neither 3
plusieurs several 1
poids m. weight 4A; a weight 6
   perdre du ___ to lose weight 4A

prendre du ___ to gain weight 4A
point m. point 3
poisson m. fish 4
police f. police 3
politique f. politics 1
pomme f. apple 1
pomme de terre f. potato 4
popcorn m. popcorn 4
population f. population 2
porte f. door 1
porter to wear, to carry 2
portugais m. Portuguese 4
Portugal m. Portugal 1
poser to ask 6
possessif, possessive possessive 4
   adjectif ___ possessive adjective 4
possible possible 1
poste m. station, post; job 4
   ___ **de radio** radio station 4
pot-pourri m. a mixture of
everything 1
poule f. hen, chicken 5
poulet m. chicken 2
pour for 1
pourquoi why 1
pousser to push 6A
pouvoir to be able to 1, 5A
pratique practical 2
préféré, -e preferred, favourite 3
préférer to prefer 1
premier, première first 2A
prendre to take 2, 3A
   ___ **du poids** to gain weight 4A
préparer to prepare, to prepare for 1A
près (de) near 4
présent m. present, present tense 1
présentation f. presentation 6
prêt, -e ready 4
printemps m. spring 2
   au ___ in spring 2
priorité f. priority 6
probable probable, likely 5
probablement probably 3A
problème m. problem 1
prochain, -e next 6
produit m. product 4
   ___ **laitier** milk product 4
professeur m. teacher 1
projet m. project 2; plan 5
promenade f. walk 3A
   faire une ___ to take a walk 3A
pronom m. pronoun 4

191

—— complément d'objet direct   direct object pronoun   4
prononcer   to pronounce   1
propre   own   3
protéger   to protect   5
province *f.*   province   1
provisions *f. pl.*   supplies   5
publique   public   5
puis   then   2
pullover *m.*   pullover, sweater   3
pupitre *m.*   desk   1

qualité *f.*   quality   1
quand   when   1
   —— même   anyway, just the same   4
quantité *f.*   quantity   3
que   what, which, that   1, 6A
Québec *m.*   Province of Quebec   1
Québécois, -e   Quebecker   3
quel, quelle, quels, quelles   what   1
quelque   some   1
   —— chose   something   1
question *f.*   question   1
qui   who   1, 6A
quitter   to leave   2A
quoi   what   2
   n'importe ——   no matter what   4

radio *f.*   radio   1
rafraîchissant, -e   refreshing   6
ragoût *m.*   stew   4
raison *f.*   reason   5
   avoir ——   to be right   2A
rapporter   to bring back   5
rarement   rarely   4
réaction *f.*   reaction   1
récemment   recently   6
recette *f.*   recipe   4
recherche *f.*   research   2
refuser   to refuse   6
regarder   to watch   1
régime *m.*   diet   4A
régulier, régulière   regular   1
reine *f.*   queen   2A
relation *f.*   relationship   3
remarquer   to notice   3
remplacer   to replace   1
remplir   to fill   4A
rencontre *m.*   meeting, get-together   3
rencontrer   to meet   6A
rendez-vous *m.*   meeting   1
rentrer   to go home   1A

—— le ventre   to pull in one's stomach   4
réparation *f.*   repair   3
   faire des ——   to make repairs   3A
repas *m.*   meal   3A
repasser   to iron, to press   3
répéter   to repeat   3
répondre   to answer   1, 3A
réponse *f.*   answer   1
se **reposer**   to relax, to rest   3
représenter   to represent   2
reprendre   to take up again   6
reptile *m.*   reptile   1
réservation *f.*   reservation   4
résister (à)   to resist   6
résolution *f.*   resolution   3
ressembler (à)   to resemble   1
restaurant *m.*   restaurant   1
rester   to stay, to remain   2A
restriction *f.*   restriction   2
retard *m.*   lateness   6A
   en ——   late   6A
retourner   to return, to go back   2
réunion *f.*   get-together, meeting   6
réussir (à)   to succeed   4A
   —— à un examen   to pass an exam   4A
rêve *m.*   dream   6A
rêver   to dream   5A
riche   rich   1
ridicule   silly, ridiculous   1
rien   nothing   3
   ne . . . ——   nothing   5A
rire   to laugh   6
   éclater de ——   to burst out laughing   6A
risquer   to risk   2
rivière *f.*   river   6A
roi *m.*   king   2A
rôle *m.*   role   3
romantique   romantic   6
rond, -e   round   1
rosbif *m.*   roast beef   4
rouge   red   2
rougir   to blush, to turn red   4A
rouler   to roll   6
rude   severe; cruel; rough, hard; difficult   3
rue *f.*   street   1
russe   Russian   4A
Russe *m. & f.*   a Russian   4A

sable *m.*   sand   5

sac *m.*   bag, sack   4
   —— de couchage   sleeping bag   5
safari *m.*   safari   5
saisir   to grab, to seize   6A
saison *f.*   season   2
salade *f.*   salad   2
sale   dirty   2A
salle *f.*   room   2
salon *m.*   living room   1
sandwich *m.*   sandwich   1
sans   without   6A
   —— cesse   constantly   1
santé *f.*   health   2, 4A
   être en bonne ——   to be in good health, healthy   2, 4A
Saskatchewan *f.*   Saskatchewan   1
sauce *f.*   sauce, gravy   4
sauter   to jump   6
sauvage   savage, wild   2, 5A
sauver   to save   2
savoir   to know, to know how to   4A
sciences *f. pl.*   science (subject)   3A
scientifique   scientific   2
sculpteur *m.*   sculptor   2
sculpture *f.*   sculpture   2
secret, secrète   secret   5
secrètement   secretly   5
selon   according to   2
semaine *f.*   week   2, 3A
sembler   to seem, to appear   3
Sénégal *m.*   Senegal   5
sens *m.*   meaning   2
sensas   sensational, fantastic (short form of **sensationnel**)   1
série *f.*   series   4
sérieusement   seriously   5
sérieux, sérieuse   serious   5
serpent *m.*   snake   1
serviette *f.*   towel   5
seul, -e   alone   6
seulement   only   2A
siamois *m.*   Siamese cat   4
signature *f.*   signature   3
silence *f.*   silence   1
s'il vous plaît   please   2
sincère   sincere   1
singulier *m.*   singular   1
sirop *m.*   syrup   4
   —— d'érable   maple syrup   4
situation *f.*   situation   6
six-pâte *f.* **(cipaille)**   meat and potato pie (French-Canadian)   4

ski *m.* skiing 1
soccer *m.* soccer 3
sœur *f.* sister 1
soin *m.* care 5
____s **médicaux** first-aid kit 5
soir *m.* evening 1A
soldat *m.* soldier 1
soleil *m.* sun 3A
faire du ____ to be sunny (weather) 3A
solide hard, solid 3
solitaire solitary, alone 5
solitude *f.* solitude 1
son, sa, ses his, her 1
sorte *f.* type, kind 1
sortir to leave, to go out 1, 6A
soulever to lift up 6
soulier *m.* shoe 1
soupe *f.* soup 2
____ **aux pois** pea soup 4
souper *m.* evening meal, supper (French-Canadian) 3
source *f.* source 4
souris *f.* mouse 2
sous under 1
sous-marin, -e underwater
faire de l'exploration ____e to go scuba diving 6
sous-marin *m.* submarine (sandwich) 2
souvent often 1, 6A
spécial, -e special 6
spécimen *m.* specimen 2
sport *m.* sport 2
sportif *m.* athlete 5
sportif, sportive athletic 1
stationner to park 2
stéréo *m.* stereo 1
strict, -e strict 1
structure *f.* structure 1
studieux, studieuse studious 1
stylo *m.* pen 1
sucre *m.* sugar 2
suffire to be enough, to be sufficient 5
Ça suffit! That's enough! 5
suggérer to suggest 3
suggestion *f.* suggestion 1
Suisse *f.* Switzerland 4
suisse Swiss 4A
Suisse *m. & f.* a Swiss 4
suivant, -e following 1
suivre to follow 1
sujet *m.* subject 1
superbe superb 2

supermarché *m.* supermarket 2
superstitieux, superstitieuse superstitious 1
surnaturel *m.* supernatural 6
surtout above all, especially, mostly 1
survivre (à) to survive 2
sympa kind, nice (short form for **sympathique)** 1
sympathique nice, kind 1

tableau *m.* board 1
____ **noir** *m.* blackboard 1
taille *f.* height 4A
tante *f.* aunt 3
tard late 2
tarte *f.* pie 2
____ **au sirop d'érable** maple syrup pie 4
____ **au sucre** sugar pie 4
____ **aux pommes** apple pie 2
tasse *f.* cup 3
taxi *m.* taxi 2
en ____ by taxi 2A
téléphone *m.* telephone 1
téléphoner to phone 1
télé *f.* television (short form for **télévision)** 1
télévision *f.* television 1
tellement so, to such a degree, to such an extent 6
temps *m.* time 2; weather 3
de ____ **en** ____ from time to time 3A
en même ____ at the same time 1
Quel ____ **fait-il?** What's the weather like? 3
tout le ____ all the time, always 5
tendre tender, gentle 5
tendrement tenderly 5
tennis *m.* tennis 1
tente *f.* tent 5
Terre *f.* the Earth 2
terre *f.* land, earth 2
Terre-Neuve *f.* Newfoundland 1
terrible terrible, horrible 5
terriblement terribly 4A
Térritoires du Nord-Ouest *m. pl.* Northwest Territories 1
test *m.* test 1
tête *f.* head 2
en ____ in mind 5
théâtre *m.* theatre 1
timide shy, timid 1

tirer to pull 6A
toasts *m. pl.* toast 2
toboggan *m.* tobogganing 3
toi you 2
toilette *f.* washroom 3
tolérant, -e tolerant 1
tomate *f.* tomato 4
tomber to fall 2
____ **malade** to get sick 2
ton, ta, tes your (familiar) 1
toucher to touch 6
____ **du bois** to knock on wood 6
toujours always 1, 2A
tour *m.* tour, turn 5
faire le ____ **de** to go around
faire le ____ **de la ville** to take a tour of the city 5
____ **à** one by one 5
touriste *m.* tourist 5
tourner to turn 2
____ **à droite** to turn right 2
____ **à gauche** to turn left 2
tourtière *f.* spicy pork pie (French-Canadian) 4
tout, toute, tous, toutes all 1, 3A
tout everything 3A
pas du ____ not at all 3
____ **à coup** suddenly 6A
____ **de suite** immediately 2
____ **le monde** everyone 6
train *m.* train 2
par le ____ by train 2
tranquille quiet 6
tranquillement quietly, in peace 6
tranquillité *f.* quiet, calm 1
trappeur *m.* trapper 2
travail *m.* work 2
travailler to work 1A
travailleur *m.* worker 2
traverser to cross 6
trembler to tremble 6
très very 1
triste sad 3
tristement sadly, unfortunately 5
troisième third 2
trombone *m.* trombone 1
trompette *f.* trumpet 1
trop too, too much 1, 3A
____ **de** too much 3A
trottoir *m.* sidewalk 6
trouver to find 1A
tu you (familiar) 1

tuer to kill 6A

un, une, des a, an, some 1
université *f.* university 1
U.R.S.S. *f.* the Soviet Union

vacances *f. pl.* vacation 2, 3A
  en ___ on vacation 5
vaillant, -e valliant, brave 2
vaincu, -e defeated 6
vaisselle *f.* dishes, table service 3
  faire la ___ to do the dishes 3A
valeur *f.* value 3
vallée *f.* valley 2A
varié, -e varied 4
vaurien *m.* a good for nothing 1
vendeur *m.* salesman 1
vendre to sell 3A
venir to come 2
vent *m.* wind 3A
  faire du ___ to be windy
  (weather) 3A
ventre *m.* stomach 4A
ver *m.* worm 2
verbe *m.* verb 1
véritable true 3
vérité *f.* truth 6
verre *m.* glass 5
verrue *f.* wart 6
vers towards 6A
vert, -e green 1
vêtements *m. pl.* clothing 1
viande *f.* meat 2A
victime *f.* victim 6
vie *f.* life 2A
  en ___ alive 6
vieux, vieil, vieille old 1
  ___ **jeu** old fashioned 1
vif, vive lively, vivid 6
village *m.* village 6
ville *f.* city 1, 5A
  en ___ downtown 3
vin *m.* wine 5
vinaigre *m.* vinegar 4
violon *m.* violin 1
violoncelle *m.* cello 1
vis-à-vis de with regard to 3
visible visible 4
visiteur *m.* visitor 6
vite quickly 1
vocabulaire *m.* vocabulary 1
194 **voici** here is, here are 1

voie *f.* route, way 5
voilà there is, there are 1
voir to see 4
voiture *f.* vehicle, car 6
voix *f.* voice 6A
volaille *f.* poultry 4
volleyball *m.* volleyball 2
votre, vos your 1
vouloir to want, to wish for 2, 5A
vous you 1
voyage *m.* voyage, trip 5
  Bon ___! Have a good trip! 6
  en ___ on a trip 5
voyager to travel 2, 5A
voyageur *m.* traveller 2
vrai, -e true, real 2
vraiment truly, really 2, 5A

wagon *m.* wagon 6
week-end *m.* weekend 3

y here, there 5
yeux *m. pl.* (**œil** *sing.*) eyes 5
Yukon *m.* Yukon 1

zoo *m.* zoo 5A

INDEX GRAMMATICAL

8 9 10   112000   88 87 86 85